Jaap ter Haar · Behalt das Leben lieb

Jaap ter Haar wurde 1922 in Hilversum geboren. Nach der deutschen Besetzung Hollands im Zweiten Weltkrieg ging er nach Frankreich und schloß sich dort der Widerstandsbewegung an. Nach dem Krieg arbeitete er als Korrespondent in Schottland. Er schrieb Kurzgeschichten und Bücher und erhielt verschiedene literarische Auszeichnungen. Für das Buch ›Behalt das Leben lieb‹ wurde der Autor mit dem »Goldenen Griffel« und dem »Buxtehuder Bullen« ausgezeichnet. 1978 Auswahlliste »Die Silberne Feder«.

Jaap ter Haar

Behalt das Leben lieb

Deutscher
Taschenbuch
Verlag

Titel der Originalausgabe: Het wereldje van Beer Ligthart
Originalverlag: Van Holkema & Warendorf, Bussum
Aus dem Niederländischen von Hans-Joachim Schädlich

Ungekürzte Ausgabe
März 1980
Deutscher Taschenbuch Verlag GmbH & Co. KG,
München
© 1973 Uniboek V.V., Bussum, Holland
© 1976 Georg Bitter Verlag KG, Recklinghausen
ISBN 3-7903-0219-8
Umschlaggestaltung: Celestino Piatti
Umschlagbild: Haidrun Gschwind
Gesamtherstellung: Kösel, Kempten
Printed in Germany · ISBN 3-423-07805-7

1

Ein schreckenerregender Schrei, von Angst und rasendem Schmerz erfüllt. Sein Echo hallte wider und wider.

»Berend!«

»Beer...!«

Bennies und Goofs Stimmen, ganz nahe, doch zugleich so unwirklich wie Geflüster in einer leeren Kirche. Eilige Schritte. In der Ferne das aufreizende Gesurr von Mofas. Und der Schmerz. O Gott, der Schmerz.

Während er stürzte, begriff Berend noch, daß *er* geschrien hatte. Ein wahnsinniger Schmerz durchschnitt seinen Körper, und um ihn herum schien alles zu verschwimmen.

»Einen Arzt! Holt einen Arzt!«

Geräusche aus einer anderen Welt schienen zu ihm zu dringen, flüchtig, nicht erkennbar, vom Wind wieder fortgetragen. Eine Sirene heulte.

Dann barst etwas. Die Finsternis eines Urwaldes. Eine Welt voller Farbe. Und dann nichts mehr.

Berend hatte das Gefühl, in einer seltsamen Welt, die immer größer wurde, ganz allein zu sein. Sein Körper schien nicht mehr zu existieren, nur noch der Raum in seinem Kopf, in dem es hämmerte und schlug, in dem Feuerwerk sprühte, Züge zusammenstießen und die erregenden Tamtams eines wilden Negerstammes dröhnten. Allmählich löste sich das Chaos der Bilder und Farben auf. Er hörte jetzt das Rascheln einer gestärkten Schürze und roch die besondere, strenge Luft eines Krankenhauses. Strich da eine Hand über sein Haar? Es war dunkel. Berend versuchte, seine

Augen zu öffnen, aber es blieb dunkel, und er spürte einen stechenden, blendenden Schmerz. Seine rechte Hand mit zwei tüchtigen Schürfwunden glitt unruhig über das Laken.

»Wo bin ich?«

»Wir sind bei dir, Beer!«

Das war Vaters Stimme, und eine vertraute Hand legte sich ermutigend auf seine Schulter. Berend versuchte, sich aus der verwirrenden Traumwelt in seinem Kopf loszumachen. Er mußte seine Augen öffnen. Wach werden. Vater sehen. »Meine Augen! Wo sind meine Augen?« Beinahe unbewußt führte er seine Hand zu den Augen. Seine verwirrten Finger glitten tastend über den dicken Verband.

Er hörte ein kurzes Schluchzen, dann die sanfte Stimme von Mutter: »Mein Kleiner, hab keine Angst. Ich bin hier, neben deinem Bett!«

»Der Schmerz, der Schmerz...« Berend wollte nicht weinen, nicht schreien, aber er hielt es nicht mehr aus. Seine Finger zerrten immer aufgeregter an dem Verband.

»Schwester!« rief Mutter mit einer sich überschlagenden Stimme.

Schwester? Welche Schwester?

Die Decke wurde zurückgeschlagen. Beer fühlte den Stich einer Injektionsnadel in seinem Schenkel. Sein Bein zuckte. »Sei ruhig, mein Kleiner. Du brauchst keine Angst zu haben!«

Mutters Stimme kam nun aus großer Ferne. In diesem Moment spürte Berend mit aller Heftigkeit das fiebrige Glühen seines Körpers, das Pochen in seinem Blut. Und den Schmerz, diesen höllischen Schmerz in seinem Kopf. Da erfaßte ihn einen Augenblick lang

Panik. Starb er? Er wollte aufspringen, sich an irgend etwas festhalten, sich dem Tod widersetzen. Eine Hand drückte ihn zurück, und da schien das Sterben auf einmal nicht mehr so schlimm zu sein. Er war nicht der erste und würde auch nicht der letzte sein. Dennoch blieb der Drang, um das Leben zu kämpfen.

Die undeutlichen Stimmen von Vater und Mutter und die Geräusche des Krankenzimmers trieben unaufhaltsam fort. Berend sank in einen Urwald voller unfaßbarer Gestalten zurück, in eine Welt voller Farben, zurück in Leere und Düsternis.

Niemand kennt den Abstand zwischen Leben und Tod. Niemand wußte, welche Strecke dieses Weges Berend zurückgelegt hatte. Die Ärzte und Krankenschwestern wußten nur, daß er dem Ende nahe gewesen war. In Fieberträumen war er bewußtlos in die tiefe, unerreichbare Welt hinabgetaucht, die auf dem Grunde jedes Menschen verborgen liegt. Dort bewegte er sich in dunklen Tunnels, sah drohende Ungeheuer und geriet in eine zeitlose Angst. Doch er ging in der Tiefe auch durch grüne Landschaften; und Gefühle des Glücks bewiesen, daß das Tiefste der menschlichen Seele nicht allein vom Elend erfüllt ist.

Zwei Tage und drei Nächte war Berend fast ununterbrochen bewußtlos. Manchmal war er unruhig und schrie. Manchmal auch zog unter dem dicken Verband ein stilles, glückliches Lächeln über sein weißes Gesicht. Dann hörte die Krankenschwester, die Wache hielt, geflüsterte Worte: »Gerne« oder »wie schön«. Und einmal sagte er deutlich hörbar: »Danke!«

Auf dem langen Weg zwischen Leben und Tod begann das hohe Fieber in der dritten Nacht zu sinken.

Die Atmung wurde ruhiger, und der Herzschlag fand den ruhigen Rhythmus von früher wieder.

Berend erwachte an diesem dritten Morgen, als hätte man ihn aus dem Traum eines beinahe bodenlosen Schlafes geweckt. Und langsam drang in sein Bewußtsein, daß er wach war. Er hatte schrecklichen Durst. Und der Schmerz kehrte zurück, doch nicht mehr so peinigend wie zuvor. Schmerz...? Träge stellten schattenhafte Erinnerungen sich ein: Mutters sanfte Stimme, Vaters Hand und die undeutlichen Bilder, die sich wie im Dämmerlicht auf dem Bildschirm seines Traums bewegt hatten.

Schritte näherten sich. Sie klangen nackt und hohl auf dem harten Linoleum. Jemand zog die Vorhänge auf. Das war an dem metallischen Geräusch zu hören. Da stimmte was nicht, dachte Berend. Das Zimmer blieb dunkel.

»Mutter, bist du es?«

Mutter mußte diese fremden Geräusche doch erklären können, den Schmerz und die übelkeiterregende Luft.

»Wo bin ich?«

Eine kühle Hand ergriff seinen Arm.

»Du bist im Krankenhaus, Berend. Ich bin die Krankenschwester, Schwester Wil.«

Krankenhaus? Schwester Wil? Beer begriff nicht. Krampfhaft suchte er nach einem Anhaltspunkt. Ja, die Schule war zu Ende gewesen. Bennie hatte auf die Französischarbeit geschimpft, und Goof hatte mit diesem kaputten Ball zum Schreien komisch à la Cruyff gespielt und dann diesen schrägen Schuß abgefeuert. Und dann...? War er dann nicht auf die Straße gerannt, um den Ball zu erwischen? Und über Goofs Tasche gestolpert...? Die Bilder wollten noch nicht klarer werden.

»Was ist passiert?«

»Du hattest einen Unfall, als die Schule aus war.«

»Einen Unfall?«

War er angefahren worden? Dann mußte er ganz schön verletzt sein. Zögernd bewegte Berend seine Beine, dann seine Arme. Gott sei Dank, das tat nicht weh. Die waren noch heil.

»Deine Eltern werden bald hier sein. Die wissen, was sich abgespielt hat. Ich bin nicht dabeigewesen, verstehst du?« Beer fühlte wieder den Verband um seinen Kopf. Natürlich! Deswegen konnte er nichts sehen. Er drückte seine Hände auf den Bauch, die Schenkel, die Brust. Da schien alles vollkommen in Ordnung zu sein.

»Willst du was trinken?«

»Gerne, Schwester!«

Die Stimme der Schwester klang hell, freundlich und bestimmt. Die wußte, was sie tat. Beer wollte sich aufrichten, doch plötzlich pochte der Schmerz wieder in seinen Augen und erfüllte seinen ganzen Kopf.

»Bleib ruhig liegen. Ich geb' dir eine Schnabeltasse.«

Ein Schnabel wie von einer Teekanne wurde zwischen seine trockenen Lippen geschoben. Lauwarmer Tee. Er trank ein paar Schluck. Wie gut das seinem Mund tat!

»Vielen Dank«, sagte er aus tiefstem Herzen und versuchte, mit neuer Kraft seine Gedanken zu ordnen.

»Ich muß jetzt gleich weg«, sagte die Schwester. »Versuch noch ein bißchen zu schlafen.«

Das Rascheln der Schürze. Geklirr von einem Schüsselchen. Schritte zur Tür. Beer blieb allein zurück, von vagen, unbestimmten Geräuschen des

Krankenhauses umgeben. Welches Krankenhaus war das? Und wie lange würde er hier bleiben müssen?

»Dumm, das hätte ich fragen sollen«, murmelte er. Er wollte auch wissen, wann sie ihn von diesem dicken, drückend heißen Verband befreien würden, denn die andauernde Dunkelheit gefiel ihm gar nicht. Außerdem hätte er diese Schwester Wil ganz gerne einmal gesehen. Sie hatte bestimmt blondes Haar, blaue Augen und einen festen Busen unter ihrer weißen Schürze. Das hörte man schon an ihrer Stimme.

Berend lag jetzt ganz still. Er versuchte, sich vorzustellen, was nach der Schule passiert war.

Goof hatte dem Ball einen Stoß versetzt... Ja, gleich darauf mußte das Unglück passiert sein. Hatte ihn ein Auto erwischt? Dann hab' ich Glück gehabt, dachte Beer, denn an seinem Körper war noch alles ganz. War er nicht vielleicht mit dem Kopf durch die Windschutzscheibe geflogen? Hatte er deshalb den Verband um den Kopf? Und dann durchzuckte ihn plötzlich ein schrecklicher Gedanke, der aller Unsicherheit und allem Zweifel ein Ende setzte.

Es gibt Dinge, die Kinder manchmal ganz plötzlich mit großer Bestimmtheit wissen; Gedanken, die aus dem Nichts auftauchen und deren Richtigkeit mit absoluter Gewißheit gefühlt wird. Wenn sie auch keinen einzigen Beweis liefern können, so erkennen sie doch die Wahrheit – mit einer Art Hellsichtigkeit, die den meisten Erwachsenen verlorengegangen ist.

Solch ein Moment der Sicherheit, solch ein Augenblick der Wahrheit war für Berend Ligthart gekommen. Er erinnerte sich auf einmal, daß er in seinen Schmerzen und Traumbildern etwas gerufen hatte. Er hörte wieder seine ängstliche Stimme: »Meine Augen! Wo sind meine Augen!«

Und plötzlich begriff er mit unerbittlicher Klarheit, daß er die blonde Schwester Wil nie wirklich sehen würde. Daß er auch seine Eltern, Annemiek, die Schule und seine Freunde nie mehr sehen würde. Nie mehr würde er sich an einem Fußballspiel, am Fernsehen oder an einem Strauch in sanftgrüner Frühlingspracht erfreuen können. Die Sonne würde für ihn nie mehr aufgehen. Darüber gab es keinen Zweifel mehr, nur noch Sicherheit.

»O Gott, ich bin blind geworden«, flüsterte Beer entsetzt, und er wußte nicht, wie er damit fertigwerden sollte.

Es dauerte eine geraume Zeit, ehe die Schwester zurückkam. So hatte Beer Gelegenheit, in Ruhe zu verarbeiten, was er sich eben klargemacht hatte. Einfach war das nicht. In der dunklen Welt unter dem Verband flatterten alle möglichen Gedanken und Bilder wie ein Schwarm unruhiger Zugvögel durcheinander.

Blind! Er erinnerte sich des Mannes mit der dunklen Brille und dem weißen Stock, der sich in einer engen Ladenstraße so hilflos vorwärts getastet hatte. Genauso würde er von nun an seinen Weg suchen müssen, zu Hause, in der Schule oder wo auch immer. Für den Rest seines Lebens würde er von anderen abhängig sein. Beer ballte zornig die Fäuste, besann sich jedoch: War nicht jeder von anderen Menschen abhängig?

Blind! Plötzlich packte ihn Angst. Würden sie ihn in eine Blindenanstalt schicken? Nein, das konnte nicht sein. Beer dachte an Vater und Mutter und an ihre Streitereien, bei denen er manchmal zwischen ihnen gestanden hatte. War es nicht denkbar, daß sie für immer auseinandergingen, wenn er nicht mehr bei ihnen war? Dieser Gedanke war unerträglich. Und dann wurde ihm bewußt, wie schrecklich es für seine Eltern sein mußte, daß er blind geworden war. Wußten sie es schon?

Blind! Verdammt, nein, er wollte nicht weinen. Er würde damit fertig werden. Er erinnerte sich eines Satzes, den er vor längerer Zeit einmal zu seiner Mutter gesagt hatte: »Wenn man das traurigste Kind der Welt ist, braucht man mit niemandem Mitleid zu haben!« Er war damals tief betroffen gewesen vom Anblick im Krieg verstümmelter Kinder. Oder von kleinen Knirpsen, die an Lepra litten. Vielleicht auch hatte er den Satz ausgesprochen, nachdem er die apathischen Opfer einer Hungersnot im Fernsehen gesehen hatte.

Blind! Das war schlimm, aber es gab noch schlimmere Dinge auf der Welt. Er hatte noch immer eine Zukunft. Er würde die Blindenschrift lernen müssen. Er würde sein Leben auf eine vollkommen neue Art leben müssen. Während er alles überdachte, verwunderte sich Beer, daß er über seine Blindheit mit ziemlicher Ruhe nachzudenken vermochte.

Schritte auf dem Korridor. Das leise Öffnen der Tür. Die Stimme von Schwester Wil: »Da bin ich wieder, Berend!« Irgend etwas wurde auf das Tischchen – oder war es ein Schränkchen – neben seinem Bett gestellt.

»Schwester?«

»Ja?«

»Ich bin doch blind, nicht? Für immer!«

Einen Augenblick lang blieb es still. Beer hörte, wie die Schwester Luft holte. Er hoffte inständig, sie würde ihm eine ehrliche Antwort geben. Die Wahrheit war besser zu ertragen als Ungewißheit und falsche Hoffnung.

Glücklicherweise war Schwester Wil klug genug, um zu wissen, daß die meisten Kinder sehr tapfer sind und allerhand Umstände auf sich nehmen, solange sie nicht von Erwachsenen verwirrt werden.

»Ja«, sagte sie, und Beer fühlte wieder ihre kühle Hand auf seinem Arm. »Deine beiden Augen sind so schwer verletzt, daß du wahrscheinlich nie mehr wirst sehen können.«

»Ich danke Ihnen«, sagte Beer. Er war wirklich dankbar, daß sie keine Ausflucht versucht und ihn nicht mit einer halben Antwort im ungewissen gelassen hatte. War es nicht merkwürdig, daß Schwester Wil in seinen Augen ein phantastischer Kerl war, obwohl er sie noch nie gesehen hatte? »Ich hab' hier dein Frühstück. Ein Ei, Butterbrot und einen Zwieback mit Marmelade. Wollen wir mal versuchen, ob wir zusammen etwas runterkriegen?«

»Ja«, antwortete Beer. Es war gut zu wissen, daß das Leben – wenn man auch blind war – normal weiterging. Bald würden Vater und Mutter kommen. Er würde ihnen gleich die Wahrheit sagen. Ganz einfach, so, wie Schwester Wil es getan hatte. Vielleicht würde es sie dann nicht so schockieren.

Als die Tür aufging, war es wie das Geräusch eines leichten Windstoßes, an das sich Beer schon ein bißchen gewöhnt hatte. Die Stimme von Schwester Wil, noch immer hell und freundlich, noch immer ganz natürlich: »Berend, hier sind deine Eltern.«

Jetzt war es an Beer, tief Luft zu holen. Er streckte seine Hand nach rechts aus, doch Mutter schien schon um das Bett herumgegangen zu sein. Von links kam ein Kuß auf seine Wange. Und ihre Stimme, heiser und nervös: »Ach Junge, mein Junge...«

Es war Vater, der seine Hand nahm. Sie standen also zu beiden Seiten des Bettes. »So, Beer. Da sind wir wieder. Gott sei Dank, daß du jetzt wieder bei Bewußtsein bist, die letzten Male warst du noch vollkommen benebelt!«

»Ja«, nickte Beer; er fragte sich, wie er anfangen sollte.

»Wie fühlst du dich jetzt, mein Lieber?« Es war zu hören, daß Mutters Stimme so normal wie möglich klingen sollte. Sie klang so unnormal wie die Pest.

»Die Schmerzen sind nicht mehr so schlimm.«

»Ist die Schwester nett?«

»Ja«, sagte Beer, und dann durchschlug er den Knoten mit einem einzigen Hieb, weil er diesen Tanz um die unabwendbare Wahrheit einfach abscheulich fand: »Ihr wißt doch, daß ich blind bin? Für immer?«

Ein lautes Schlucken. Er fühlte, wie Mutters Hand sein Handgelenk umklammerte, als könnte sie da einen Halt finden.

»Ja, Beer, wir wußten es«, sagte Vater. »Wir wußten nur nicht, daß du es schon weißt. Wir wollten es dir erst sagen, wenn du ein bißchen zu Kräften gekommen sein würdest.« »Mein Junge...«, fing Mutter an, doch dann hörte sie auf. Vater sprach ihren Satz zu Ende: »Wir haben etwas zu tragen bekommen, alle miteinander. Es bleibt nichts anderes übrig, als tüchtig zuzupacken.«

»Miteinander?«

»Ja, natürlich. Du, Mutter und ich!«

Da kamen Beer die Tränen, und er war dankbar, daß

er jetzt einen Verband um die Augen hatte. Er biß sich auf die Lippen und sagte leise, weil er seiner Stimme nicht sicher war: »Ist das nicht komisch? Heute früh hatte ich keine Angst davor, blind zu sein, aber ich hatte Angst, daß ihr...«

»Ja...?«

»Daß ihr euch trennen könntet.«

Das waren Worte so schwer wie Blei. Einen Augenblick lang schien es, als blieben sie wie ein lebensgroßer Vorwurf über dem Bett hängen.

»O Gott«, flüsterte Mutter. »Mein Junge.«

Beer wußte genau, daß sie jetzt zu Vater hinsah. Nun durfte Mutter nicht anfangen zu weinen und Vater sich keine faulen Ausreden ausdenken, um einer Antwort auf diese wichtige Frage auszuweichen. Es war Vater, der sich auf den Bettrand setzte und das Schweigen brach: »Beer, jede Ehe hängt mal eine Zeitlang an einem seidenen Faden. Auch die Ehe von Mutter und mir, das hast du ja schon mitgekriegt. Aber Gott sei Dank sind die meisten seidenen Fäden ziemlich haltbar.«

Das war eine ehrliche Antwort, die genügend Hoffnung für die Zukunft ließ, und damit schien alles gesagt.

»Wollt ihr mir jetzt erzählen, was mit mir passiert ist?« fragte Beer. In seiner Erinnerung gab es noch viele weiße Flecke.

Jetzt war es Mutter, die ihm gegenüber mit gewohnter, ruhiger Stimme antwortete. Und so erfuhr Beer, daß er nach der Schule, ohne nach links und rechts zu sehen, vom Bürgersteig auf die Straße gerannt war, um einen Ball zu kriegen; er war gestolpert und in die spitzen Zinken einer Mistgabel gefallen, mit der ein

Gärtner auf einem Mofa vorbeifuhr; der Gärtner hatte nicht mehr ausweichen können.

»Der Gärtner konnte nichts dafür«, setzte Vater hinzu. »Er war schon zweimal bei uns, um zu fragen, wie es dir geht. Ein sehr netter Mann.«

Die Bewußtlosigkeit nach dem Unfall. Der Transport ins Krankenhaus. Auf der Trage in die Klinik. Das endlose, quälende Warten der Eltern auf die Auskunft des Arztes. »Dann kamst du ziemlich bald zu Bewußtsein.«

»Ja, das weiß ich noch.«

Beer erinnerte sich dunkel des kurzen Augenblicks, der von der Angst erfüllt war, sterben zu müssen. Gleich darauf war er wieder bewußtlos geworden.

Mutter erzählte kurz von der Operation und den Fieberanfällen, die der Operation folgten. In ein paar Minuten war der entfallene Zeitraum von zwei Tagen und drei Nächten durch Worte überbrückt.

Glücklicherweise kam dann Schwester Wil und sagte, der Besuch hätte nun lange genug gedauert. Beer fühlte sich todmüde, und das Dröhnen und der Schmerz in seinem Kopf waren beinahe nicht mehr auszuhalten. Kaum hatten Vater und Mutter sich verabschiedet, da wurde Beer von einem Weinkrampf geschüttelt. Die Spannungen und Aufregungen, die er in so kurzer Zeit hatte verarbeiten müssen, waren ein bißchen zu viel für ihn gewesen.

»Ja, weine nur«, sagte Schwester Wil. »Vom Weinen wird mir auch immer gleich besser.« Sie tröstete ihn nicht. Sie ließ ihn einfach gewähren. So ging der Weinkrampf schnell vorüber, aber der stechende, brennende Schmerz unter dem Verband hatte nicht nachgelassen.

»Und jetzt geb' ich dir eine kleine Spritze gegen die Schmerzen. Du wirst sehen, du kannst dann wieder ein tüchtiges Stück schlafen!«

Wenige Augenblicke später entfernten sich die Geräusche, und das Krankenzimmer, das Bett und der Schmerz lösten sich wie von selbst auf. Schmerzlos und leicht schwebte Beer im Traum in unbekannte Fernen.

2

Das Leben im Krankenhaus hatte seinen eigenen Rhythmus. Als die Schmerzen schwächer wurden, entdeckte Beer, daß man die Stunden des Tages nach den Geräuschen einteilen konnte. Der Beginn eines neuen Tages war daran zu »hören«, daß die Thermometer ausgeteilt und die Vorhänge in den Zimmern geöffnet wurden. Beers Vorhänge blieben offen. Geschlossen oder offen, für ihn war es einerlei.

Die Geräusche von Tellern, Schüsseln, Messern und Gabeln, die auf Tabletts gelegt wurden, kündeten deutlich davon, daß das Frühstück vorbereitet wurde. Das Geklirr des Instrumentenwagens zeigte Beer an, daß ein Arzt seine Runde machte und daß es zehn Uhr gewesen sein mußte. Ein Strom von Schritten auf dem Korridor und das Geraschel von Papier, das um Blumensträuße gewickelt war, sagten Beer, daß die Besuchszeit angefangen hatte. Dann kam Mutter, zwei oder drei Minuten nach zwei.

Da gab es die besonderen Geräusche in der Stille der Nacht: die raschelnde Schürze einer Krankenschwester, die während ihrer Nachtwache nachsah, ob alles in Ordnung war. Oder der Ton eines Summers, wenn ein

Patient um Hilfe bat. Manchmal eilige Schritte und aufgeregte Flüsterstimmen von Schwestern und Ärzten auf dem Korridor. Dann wußte Beer, daß es sehr schlecht um einen Patienten stand. All diese Geräusche drangen wie kleine Boten in seine dunkle Welt ein und bewirkten, daß er immer mehr mit den Ohren zu sehen begann.

Schwester Wil war jedesmal wieder wie ein Licht, das das Krankenzimmer erhellte. Ein großartiger Mensch und unentbehrlich in den langen Stunden des Tages. Schwierig wurde es, wenn Schwester Wil einen freien Tag hatte und eine andere Krankenschwester ihre Aufgaben übernahm.

Schwester Annie mußte einer Ente ähneln, dachte Beer, er wurde von ihrer stets munteren Stimme ganz kribbelig. Kwaak-kwaak-kwaak. Sie hatte etwas Unechtes, und es schien ganz so, als glitten ihre Worte über die Wirklichkeit hinweg. Das machte zumindest furchtbar nervös.

»Nun wollen wir dich mal hübsch waschen«, sagte sie, als wäre das Getue mit dem Waschlappen besonders spaßig.

»Jetzt machst du mal hübsch Pipi!« und – boing – wurde ihm die Flasche zwischen die Beine geknallt und sein Pimmel hineingestopft.

»Nun wollen wir mal hübsch essen!« Sie sagte ihm nicht, was auf dem Teller lag, sondern schob ihm plötzlich einen Bissen Kraut in den Mund. Und wenn Beer etwas nicht mochte, dann war es Kraut. Mit dem Mut der Verzweiflung kämpfte er gegen den ersten Bissen an, während Schwester Annie – kwaak-kwaak-kwaak – immerzu schwatzte und lachte, obwohl es doch so bitter wenig zu lachen gab.

An diesem Tag wurde Beer immer niedergeschlagener. Er fühlte sich einsamer und verzweifelter als je zuvor, und die Rebellion gegen sein Schicksal wurde von Stunde zu Stunde stärker.

Blind! Warum mußte es gerade ihn treffen? Er sah sich schon am Arm von Vater und Mutter herumtappen, sah sich beim Essen kleckern; von jedermann abhängig.

Blind! Nur Mitleid und Wohltätigkeit würden ihm fortan zuteil werden. Wie sollte er je ein Mädchen kriegen? Welche Frau würde später mit einem Blinden leben wollen?

Als Vater ihn am Abend besuchte, waren Beers Mut und Laune weit unter den Nullpunkt gesunken. Er wollte es aber auf keinen Fall zeigen, denn Vater, so dachte er, hatte es schon schwer genug. Darum hielt er sich tapfer und redete so vor sich hin. Als aber Schwester Annie mit einem Medikament ins Zimmer kam und schnell ein Schwätzchen mit Vater machte, mit ihrer gezierten, fröhlichen Stimme, da war das Maß voll.

»Ein nettes Mädchen!« sagte Vater, als Schwester Annie wieder verschwunden war.

»Sie ist ein dummes Huhn!« Böse stieß Beer die Worte hervor.

»Meinst du das wirklich?« In Vaters Stimme lag ehrliche Verwunderung.

»Ja.«

»Sie sieht aber verteufelt hübsch aus«, sagte Vater, dann klappte er seinen Mund zu, als wollte er sich die Zunge abbeißen.

»Trotzdem ist sie ein dummes Huhn. Und wie sie aussieht, ist mir vollkommen schnurz!« Bitter brach nun all seine Verzweiflung hervor.

»Das versteh' ich«, murmelte Vater bestürzt.

Es folgte ein kurzes, peinliches Schweigen. Dann sagte Vater leise, beinahe vorsichtig: »Weißt du, Beer, Augen lenken uns oft von der Hauptsache ab. Mit unseren Augen achten wir auf allerlei Kleinigkeiten, die nichts zur Sache tun. Wir achten auf die Äußerlichkeiten der Menschen, obwohl sie doch gar nicht so wichtig sind. Diesen Fehler wirst du nicht mehr machen. Begreifst du, daß das ein Vorteil sein kann? Du kannst dich mehr als andere darauf einstellen, wie die Menschen wirklich sind. Vielleicht hast du recht, und diese erstaunlich hübsche Krankenschwester ist wirklich ein dummes Huhn.«

Wie gut es Vater auch meinte, Berend war nicht in der Laune, sich von dieser Art netter, ermunternder Plauderei trösten zu lassen. Er blieb innerlich abwehrend und fühlte sich deshalb nur noch verzweifelter und mutloser.

Vater begriff offenbar. Er gab sich Mühe, den Rest der Besuchszeit mit Berichten über sein Büro und über eine Fernsehsendung auszufüllen, die er am Abend zuvor gesehen hatte. Erst beim Abschied unternahm er noch einen letzten Versuch, seinem Sohn Mut zu machen, den der gerade jetzt so bitter nötig zu haben schien: »Beer, eines weiß ich ganz genau. Du schaffst es. Ich erzähl' dir nicht, daß es einfach sein wird. Aber ganz im Ernst, wir kriegen es schon hin.« Unterhalb des Verbandes spürte Beer einen Kuß. Und Vaters vertraute, kratzige Wange. »Halt dich tapfer. Das Schlimmste ist vorüber!«

Nein, dachte Beer halb weinend, als sein Vater das Zimmer verließ. Das Schlimmste fing erst an, denn jetzt erst begann er das Hoffnungslose seiner Blindheit zu übersehen.

Einige Minuten später kam Schwester Annie herein. »Nun wollen wir dich mal hübsch zudecken!«

Kwaak-kwaak-kwaak. Natürlich zog diese doofe Ente die Vorhänge zu.

»Schlaf schön, Bübchen!«

Bübchen! Es fehlte nur noch, daß sie armes, blindes Bübchen gesagt hätte. Mit geballter Faust schlug Beer in sein Kopfkissen und heulend vor Selbstmitleid murmelte er unhörbar leise: »O Gott, wenn es dich gibt, hilf mir...!«

Eine unruhige Nacht. Beängstigende Träume jagten durch seinen Schlaf wie Pferde, die nicht im Zaum zu halten waren:

Ein starr zugefrorener See in tödlicher Verlassenheit. Dunkelgraue Dämmerung. Schlittschuhlaufen über gefährliche Eislöcher und immer wieder aufbrechendes Eis. Krachen.

Immer mehr Risse, die sich unter seinen Füßen mit Wasser füllten. Und man sah die dünnen Stellen nicht.

Nach links. Schnell wieder nach rechts. Und dann doch der falsche Schritt, so daß das Eis brach und Beer in die dunkle Tiefe sank...

Schweißgebadet wachte Beer auf. Allmählich glitt die beklemmende Angst von ihm ab. Die Dunkelheit füllte sich mit den undeutlichen Geräuschen des Krankenhauses: das unterdrückte Gelächter zweier Nachtschwestern in der Küche. Ein Summer. Schritte. Noch mehr Schritte und flüsternde Stimmen. Etwas später rollte eine Trage mit leise quietschenden Rädern vorbei: Eine Notoperation?

Beer fiel wieder in Schlaf. Und wieder schlich sich unabwendbar ein Traum ein:

Er war allein zu Haus, allein mit Annemiek. Durch ein Fenster sah er im Garten Hunderte von schwarzen Schlangen über den Rasen und die Blumenbeete kriechen. Wollten sie ins Haus? Hatten sie es auf Annemiek abgesehen?

Himmel, da stand ein Fenster offen. In panischer Angst rannte er ins Wohnzimmer, um das Fenster zu schließen. Zu spät! Eine dicke Schlange hatte sich schon halb über das Fensterbrett gearbeitet und streckte drohend ihren abscheulichen Kopf vor.

Er rannte zurück, um wenigstens die Tür zum Korridor rechtzeitig schließen zu können. Annemiek zeigte auf die Küche. Auch da stand ein Fenster offen, und schnell lief er hin! Wieder zu spät! Schon glitten die Schlangen übereinanderkriechend herein.

Zurück! Er zog Annemiek die Treppe hinauf. Oben mußten sie sicher sein. Er flüchtete ins Bad, aber auch das Bad hatte sich schon mit schwarzen Schlangen gefüllt. Annemiek wagte nicht hinzuschauen und schlug die Hände vors Gesicht...

Beer schreckte aus dem Schlaf. Er richtete sich auf, um sich umzusehen. Er wollte sich vergewissern, daß es nur ein Traum war. Erst als er aufrecht im Bett saß, wurde ihm bewußt, daß er gar nichts sehen konnte. Um ihn herum blieb alles dunkel.

Blind! Er sank aufs Kissen zurück und dachte an alles, was unwiederbringlich verloren war. Keinen Sport mehr. Nicht mehr aufs Rad springen, um schnell einmal einen Freund zu besuchen. Keine Chance mehr, Arzt zu werden, wie er es immer gewollt hatte.

Niedergeschlagener als je zuvor wartete er auf die Geräusche des neuen Tages.

Schritte. Die Tür ging auf. War es Schwester Wil, die jetzt leise die Vorhänge aufzog?

»Schwester Wil?« Er hörte die Angst und Verzweiflung in seiner Stimme.

»Guten Morgen, Beer. Was ist denn?«

Während sie zu ihm ging, richtete Beer sich auf und rief ratlos: »Schwester Wil, mein Leben, mein ganzes Leben ist verpfuscht!«

»Aber Beer...« Schwester Wil legte ihren Arm um seine Schulter. Ihre Stimme klang ruhig wie immer, als ob ein verpfuschtes Leben die normalste Sache der Welt wäre: »Aber Beer, das sagt doch jeder irgendwann mal. Ich hab' selber schon solche Sachen rausgehauen. Aber es stimmt natürlich nie. Jeder von uns steht immer wieder vor einem neuen Anfang!«

»Ja. Sie haben gut reden. Sie haben noch ihre Augen. Sie können noch sehen!«

Einen Augenblick lang blieb es still. Angespannt still. Dann nahm Schwester Wil Beers Hand und hob sie langsam hoch: »Geh mal mit deinen Fingern vorsichtig über meine Wange. Spürst du die ledrigen Narben vom Auge bis zum Kinn?«

»Ja«, flüsterte Beer entsetzt.

»Ich hab' mir die rechte Hälfte meines Gesichtes verbrannt, als ich fünfzehn war. Ich hatte mich damals gerade in einen Jungen verliebt, der mich seitdem nie mehr angesehen hat. Weißt du, ich sehe sehr unappetitlich aus. Die meisten Patienten erschrecken, wenn sie mich zum ersten Mal sehen.«

»O Schwester...«

Gestammel, denn Beer wußte nicht, was er jetzt noch sagen sollte. Schwester Wil lachte seine Beschämung und Unbeholfenheit mit einem kurzen, hellen Lachen fort.

»Nimm's dir nicht zu Herzen, Beer. Ein so großes Drama ist meine braune Narbenwange auch wieder nicht. Es ist bloß ein kleines Drama, wie es unter den Menschen Millionen gibt. Sorg dafür, Beer, daß deine Blindheit ein kleines Drama bleibt, sonst hast du kein Leben.« Schwester Wil half ihm wieder aufs Kissen zurück und machte sich etwas länger als sonst in dem kleinen Krankenzimmer zu schaffen. So gab sie Beer Zeit, die Scherben der letzten vierundzwanzig Stunden zusammenzufegen.

Ein neuer Anfang! Beer schämte sich jetzt, daß er sich so hatte gehen lassen, denn das traurigste Kind der Welt war er noch lange nicht. Nicht im geringsten. Wurde es nicht Zeit, endgültig von dem widerspenstigen, verbitterten, jammernden Bübchen Abschied zu nehmen, der er in den vergangenen Stunden gewesen war?

Jeder Mensch mußte schließlich über seine eigene Tragödie hinwegkommen – und Beer beschloß, für einen neuen Anfang an den Start zu gehen.

»Beer«, sagte Schwester Wil, und er hatte vollkommen vergessen, daß sie noch im Zimmer war, »was auch geschieht, immer bleiben noch Dinge, für die man dankbar sein kann. Ganz bestimmt. Mit ein bißchen Dankbarkeit lebt man viel besser als traurig und unzufrieden. Und jetzt hol' ich dein Frühstück!«

Beer sah sie in Gedanken vor sich: blond, mit blauen Augen und unendlich viel schöner als die hübsche Schwester Annie, trotz der braunen, verbrannten, narbigen Wange.

In der dunklen Welt unter dem dicken Verband begannen sich verschiedene Dinge zu verschieben. Je mehr Beer über alles nachdachte, desto besser erkannte er, daß noch lange nicht alles verloren war. Ein anderes Leben stand vor der Tür. Ein Leben, in dem er sich mit den Fingern vorwärts tasten, auf Stimmen und Geräusche hören mußte. Hände und Ohren würden fortan die Arbeit der Augen übernehmen müssen.

Blind sein, das war wohl doch anders, als er es sich früher vorgestellt hatte. Er hatte immer gedacht, Blindheit halbiere das Leben und verurteile es zur Minderwertigkeit. Jetzt begriff er, daß er noch genau derselbe Beer war wie zuvor.

Annemiek, die erst neun Jahre alt war, konnte das nicht begreifen. Für sie war Blindheit eine totale Katastrophe. »O Beer, ich finde das so schlimm für dich«, hatte sie mit zitterndem Stimmchen gesagt, als sie ihn zum ersten Mal im Krankenhaus besuchte.

»So schrecklich ist das nun auch wieder nicht«, hatte er ihr geantwortet. »Blind sein ist so ähnlich wie ›im Kino sitzen‹. Du sitzt im Dunkeln, und doch siehst du auf der Leinwand, was geschieht. So ist es auch mit mir. Unter dem Verband bewegen sich noch alle möglichen Bilder.«

Und das war die Wahrheit. In Gedanken sah er das Krankenhaus vor sich. Auch Schwester Wil sah er. Sie ganz deutlich. Und auch den Arzt, der jeden Morgen

Visite machte und gewiß graues Haar hatte und eine Brille trug.

Es war ein Glück, dachte Beer, daß er nicht blind geboren worden war, denn dann wären die Bilder unter dem Verband viel undeutlicher.

An einem Nachmittag war der Gärtner zu Besuch gekommen. Er hatte eine kleine Schale mit Hyazinthen gebracht. »Ein Stückchen Frühling, das du riechen kannst. Dann vergißt du die Krankenhausluft hier ein bißchen.«

Obwohl Beer dem Gärtner noch nie begegnet war, sah er ihn doch deutlich vor sich: einen ruhigen Mann mit schwieligen Händen. Und mit Fingern, die keine Briefmarke fassen konnten, weil sie von der Arbeit spröde und steif geworden waren.

Sie sprachen gleich von dem Unfall. »Ich finde es verdammt scheußlich!«

»Sie können nichts dafür«, sagte Beer schnell. »Ich hab' mich schon zehnmal gefragt, warum ich plötzlich, ohne nach links oder rechts zu gucken, auf die Straße gerannt bin.«

»Frag nie nach dem Warum, Berend. Da kriegst du dein Leben lang keine Antwort drauf. In einem der Gärten, in denen ich arbeite, stehen zwei dicke Eichen. Die nenn' ich siamesische Zwillinge, weil der unterste Zweig des einen Baumes – ein Ding so dick wie mein Bein – gleichzeitig der unterste Zweig der anderen Eiche ist. Warum? Die Dinge geschehen eben, Berend. Das lernt man in einem Garten. Und dadurch, daß du tüchtig drin arbeitest, verhinderst du, daß alles verkommt.«

Beer hatte auch die zwei ineinandergewachsenen Eichen klar vor sich gesehen. Und später, als er nach der Besuchszeit wieder allein war, hatte er – genau wie auf der Kinoleinwand – den Gärtner bei den Eichen arbeiten sehen: jäten, Zweige stutzen, mit dem gelassenen Gang eines Gärtners eine Schubkarre schieben; mit den Sträuchern und Stauden beschäftigt, die er hinter einem Teich gepflanzt hatte.

Phantasie? Für Beer war es ein Erlebnis. Denn: wenn man blind war, brauchte die Welt deshalb nicht kleiner zu werden. In Gedanken konnte man sie so groß, so schön oder so häßlich machen, wie man wollte.

Nach einer Woche, als die Schmerzen fast ganz verschwunden waren, mußte Beer in einen Krankensaal umziehen. Diese Nachricht erschreckte ihn. Er fühlte sich noch lange nicht in der Lage, fremden Menschen blind unter die Augen zu treten. Und schlimmer noch: Dort würde er Schwester Wil nicht mehr sehen. Sehen...? Nun ja, dann eben – um sich haben.

»Ich besuch' dich dort, verlaß dich drauf«, versprach Schwester Wil, als sie ihn für den Transport nach Saal 3 auf die Trage gehoben hatte. Sie fuhr ihn aus dem Zimmer. Die Räder quietschen immer noch. Den Korridor entlang, in den Fahrstuhl, nach unten. Wieder einen Korridor entlang und um eine Ecke. Dann hielten sie an. Eine Tür wurde geöffnet, und ein Wirrwarr von Männerstimmen und Gelächter schlug ihm entgegen. Als er durch die Tür in den Saal geschoben wurde, brach der Lärm plötzlich ab.

»Himmel!« In der plötzlichen Stille empfand Beer seine Blindheit aufs neue doppelt schwer. Ängstlich, unsicher rollte er auf der Trage durch Saal 3 auf sein neues Bett zu. Wieviel Männer lagen im Saal? Sahen sie jetzt alle zu ihm hin?

»Jesusmaria«, flüsterte eine Stimme in der Ecke.

Die Stille wurde danach fast noch erdrückender.

»Beer, ich heb' dich jetzt ins Bett. Leg deinen Arm ruhig um meinen Hals.«

Schwester Wils helle Stimme erfüllte die Leere. Er wurde hochgehoben und sank in das Bett.

Dann hörte er, wie seine Siebensachen auf den Nachttisch gestellt wurden. Die Schale mit Hyazinthen. Der Korb mit Obst von seiner Klasse.

»Ach, wie dumm. Ich hab' deinen Transistor vergessen!« Beer hatte das Radio von Vater und Mutter bekommen, komplett mit Kopfhörer. Ohne die anderen zu stören, konnte er auf diese Weise Hörspiele und Musik hören.

»Ich hol' ihn gleich«, sagte Schwester Wil. Und fort war sie. Beer fühlte sich auf der Stelle ängstlich und einsam. Wo war er jetzt? Wer lag neben ihm? Und dann hörte er ganz nahe eine Stimme: rauh, aber mit dem Singsang, wie er in Rotterdam zu hören ist.

»Hallo, ich bin Gerrit, dein Nachbar. Ich sitz' hier mit zwei kaputten Hinterpfoten, weil mich 'ne Ankerkette erwischt hat. Neben mir liegt Onkel Ab, der den ganzen Tag dasitzt und über seinen Blinddarm quatscht. Deshalb bin ich heilfroh, daß ich dich jetzt neben mir hab'.«

Beer sah nicht, daß sich ihm beinahe wie von selbst eine Hand entgegenstreckte – eine Hand, die sehr schnell wieder zurückgezogen wurde.

»Heh, soll ich mal reihum weitermachen? Wir sind nämlich sechse, mit dir zusammen.«

»Gerne«, murmelte Beer noch etwas verlegen.

Er wußte noch immer nicht, wie er sich verhalten sollte.

»In der Ecke am Fenster – da rechts von dir – liegt der Bäcker. Er ist am Magen operiert und will nicht lachen, sonst platzt er vor Schmerzen. Du müßtest mal sein ängstliches Gesicht sehen, wenn wir ins Witzereißen kommen. Seine Frau schmeißt uns mit Kuchen und Gebäck tot, also, was das betrifft, haben wir Schwein mit dem Knaben.«

Ja, Beer sah den Bäcker vor sich. Er hatte bestimmt ein gelblichweißes Gesicht, wie es die meisten Bäcker haben.

»Drüben in der Mitte sitzt der Junker aufrecht im Bett. Er hat 'nen orangefarbenen Pyjama aus reiner Seide an, den er gerne jedem zeigt.«

»Verdammt, Gerrit«, explodierte eine gepflegte Haager Stimme. »Ich hab' dir schon fünfmal gesagt, daß meine Frau dieses abscheuliche Ding gekauft hat.«

»Er sieht darin aus wie Cruyff in der Mannschaft von Oranien, bloß mit einem vornehmen Rattenkopf.«

Beer lachte. Schade, daß er nicht sehen konnte, wie der Schiffer triumphierend zu ihm hinsah und den anderen das breite Lächeln unter dem Verband zeigte.

»Der Raschelfritze mit seinen Büchern und Papieren dir gegenüber studiert Pissologie.« Gerrit verhaspelte sich bei dem Wort Psychologie absichtlich, dachte Beer. Er verstand auch gleich, warum.

»Der Kerl hat mehr Pisse als Logie, er schreit sechsmal am Tag nach der Flasche. Er hat's an den Nieren. Das letzte Bett ist noch frei. Aber falls da noch so'n alter Knacker wie Onkel Ab reinkommt, dann hau' ich ab aus dem Saal hier, und wenn meine Hinterpfoten dreimal kaputt sind!«

Als Schwester Wil mit dem Transistor zurückkam, fühlte sich Beer schon ein bißchen heimisch im Saal 3. Das hatte er dem drastischen Schiffer zu verdanken, der mit ein paar kräftigen Worten soviel Ruhe in die kleine Welt unter dem Verband gebracht hatte. Es war Beer, als hätte er das erste Hindernis auf dem langen Weg voller Hindernisse, der noch vor ihm lag, schon überwunden.

3

»Wo bin ich?« überlegte Beer, als er am nächsten Morgen aufwachte. Er fühlte, noch im Halbschlaf, daß er nicht mehr in seinem kleinen Zimmer lag. O ja, er wußte es wieder. Er war nach Saal 3 umgezogen.

Es war totenstill. Schliefen die anderen noch? Neben sich hörte er Gerrit schwer atmen. Vom Bäcker in der Ecke kam ein unruhiges, beinahe gurgelndes Geräusch. Ein Bett knarrte. War es schon Morgen? Oder noch mitten in der Nacht? Nur der Transistor konnte jetzt Antwort geben. Beer richtete sich auf. Tastend streckte er seine Hand nach dem Nachttisch neben seinem Bett aus. Seine Hand stieß gegen etwas Kaltes. Geklirr, Gegluckse, ein lauter Knall und das Geräusch von Scherben und Wasser.

»Heh ... heh ...!« Gerrit schoß erschrocken in die Höhe, vergaß aber, daß seine verletzten Füße in einem steifen Verband steckten. »Au, verdammt noch mal ...!« Er stieß einige Flüche aus.

Betten knarrten, Decken wurden zurückgeschlagen. Saal 3 war aufgeschreckt und schüttelte den Schlaf ab.

»Was ist passiert?«

»Ist was runtergefallen?«

»Was war das für ein Knall?«

Beer war sich schmerzlich bewußt, daß er sich in seiner Blindheit schon wieder schrecklich ungeschickt benommen hatte.

»Ich ... ich hab' was umgestoßen. Der Nachttisch steht hier viel weiter vorn als bei meinem vorigen Bett«, stammelte er entschuldigend.

»Du hast 'ne Vase mit Narzissen umgeschmissen«, erklärte Gerrit mit seiner Singsangstimme. »Ich hab' die Blumen und 'ne Ladung Wasser abgekriegt. Die Schwester denkt bestimmt, ich hab' ins Bett gemacht.«

»Das ... das tut mir furchtbar leid!«

»Bist du verrückt? Das braucht dir doch nicht leid zu tun, Junge. Ich bin in meinem ganzen Leben noch nicht mit Blumen geweckt worden!«

»Ist es schon Morgen? Oder ist es noch Nacht?«

»Es ist genau zehn nach sechs«, sagte der Junker mit seiner präzisen Stimme. »Die Schwestern werden sowieso gleich mit ihren Thermometern und Waschlappen und ihrer Morgenlaune ankommen.«

Und sie kamen, Schwester Ria und Schwester Ras. Beer hörte heraus, daß der Junker und Onkel Ab – für den es der letzte Tag war – zum Waschen ins Bad gingen. Für den Rest besorgten die Schwestern das tägliche Großreinemachen.

Gerrit schien das nicht besonders zu gefallen: »Au, Schwester, nicht so toll. Mach's mal 'n bißchen lieb und nett. Und du brauchst auch nicht so eklig zu gucken. Oder hab' ich etwa 'n Spinngewebe am Hintern?«

»Ne, Gerrit«, antwortete die flinke Schwester Ria schlagfertig. »Deine Worte sind viel schmutziger als dein Hinterteil!«

»Gut so, Schwester«, rief der Junker von drüben. »Das sitzt, Gerrit. Das sitzt!«

»Schon wieder 'n Tor von Cruyff«, murmelte Gerrit, zu Beer gewandt.

Viel schneller als in dem kleinen Krankenzimmer verrann die Zeit in Saal 3. *Verrinnen.* Ein sonderbares Wort. Und doch gab es genau das wieder, was mit den Tagen im Krankenhaus geschah. Sie verrannen tatsächlich, weil Saal 3 etwas von einem Wartesaal an sich hatte, einem Ruhepunkt zwischen Vergangenheit und Zukunft. Das wirkliche Leben schien stillzustehen. Spaß hatten sie jedoch genug. Von morgens bis abends flogen die Witze und Scherzworte hin und her. Vor allem, wenn der Bäcker lachen mußte – und sich gleichzeitig vor Schmerzen krümmte –, konnten sie nicht mehr an sich halten. »Hört auf, hihihi, ooh, au, hihihi... Au, au, hört doch auf...!«

Beer sah deutlich, wie der Bäcker versuchte, seinen schmerzhaft bebenden Bauch mit den Händen zu stützen. Ab und zu war auch die Stimme des Studenten zu hören: »Könnt ihr nicht mal 'n Moment still sein?«

Gewiß will er studieren, dachte Beer, und das gelingt natürlich in all dem Lärm nicht.

»Schmeiß doch die Bücher weg«, riet Gerrit, der ehrlich zugab, daß er noch nie ein Buch gelesen hatte. Es gab aber auch Augenblicke, in denen aller Spaß plötzlich in tiefen Ernst überging. Dann war es vor allem der Student, der ruhig und klug über das Leben sprach. Beer hatte dann das Gefühl, daß Psychologie ein sehr schönes Fach sein mußte. Ob ein Blinder Psychologe werden konnte?

Immer neue Fragen für Beer, und immer wieder neue Unsicherheiten und Ängste.

Am zweiten Morgen in Saal 3 durfte Beer zum ersten Mal aufstehen. Unsicher und schwankend – Himmel, war das schwierig – stand er auf den Beinen. Die erste Runde um sein Bett schaffte er nur, weil er sich auf den Arm von Schwester Ria stützte. Mittags mußte er es allein versuchen. Gerrit ermutigte ihn: »Vorwärts, Beer. Einfach los, Junge. Es steht nichts im Wege.«

Vor allem Gerrits wegen war Beer ein bißchen draufgängerisch und lief über das Fußende hinaus. Da hatte er die Verbindung mit seinem Bett verloren. Er blieb stehen, tastete mit seinen Händen in die Leere und hatte das panische Gefühl, jeden Moment über einen Stuhl oder sonst etwas zu stolpern. Ängstlich und verloren stand er da, und die Dunkelheit unter dem Verband lähmte ihn stärker als je zuvor. Ihm wurde schwindlig. Der Fußboden schien sich zu neigen, und schon beim nächsten Schritt verlor er das Gleichgewicht.

»Keine Panik!« rief die Stimme des Studenten, der ihn auffing und hielt. »Ohne Angst stehst du viel sicherer auf den Beinen.«

»Mir ist so schwindlig!«

»Ich bring' dich ja zum Bett zurück. Hierher. So, ja...«

Der Student legte schützend seinen Arm um Beer. Gleich darauf hatte Beer wieder das sichere Bett unter sich. Er war dem Weinen näher als dem Lachen, denn nie hatte er sich so verzweifelt hilflos gefühlt.

»Was sind wir doch für 'n Verein«, brummte Gerrit, der sich nicht damit abfinden wollte. »Der Bäcker kann nicht lachen, der Junker nicht essen, ich kann nicht laufen, und Beer kann nicht sehen. Der einzige, der noch alles kann, ist der Student.«

»Du bist doch nicht neidisch, Gerrit?«

»Ich schon.«

»Das brauchst du nicht«, sagte der Student, und seine Stimme klang traurig. Zwei Tage später sollte Beer den Grund erfahren.

Der Regen klatschte gegen die Scheiben, und ein scharfer Wind fuhr heulend um das Krankenhaus. Es war einer der seltenen Augenblicke, da es still war in Saal 3.

Gerrit schlief. Hatte er eine schlechte Nacht gehabt und holte nun das Versäumte nach? Der Bäcker blätterte in einer Zeitschrift. Jedesmal, wenn er eine Seite umschlug, raschelte es. Der Füller des Junkers kratzte über ein Notizblatt und machte jedesmal einen energischen Klick, wenn am Ende eines Satzes ein Punkt kam.

Eine kleine Welt voller Geräusche, dachte Beer. Den Rest mußte die Phantasie besorgen. War das genug?

»Kämpf weiter um deine Selbständigkeit, Beer«, hatte der Student eines Mittags gesagt. Wie sollte man das tun, wenn man nicht das Geringste sehen konnte? Würde er zum Beispiel jemals selbständig den Weg zur Schule finden können? In Gedanken trat Beer aus dem elterlichen Haus. Der Weg bis zur Gartentür. Dann rechts. Ja, wenn man am Rand des Bürgersteigs einen Stock entlanggleiten ließ, konnte man nicht falsch gehen. Aber den Buchenweg entlang standen Bäume. Konnte man einen Zusammenprall vermeiden, wenn man den Stock geschickt vor sich hin und her schwenkte?

Auf dem Weg zur Schule mußte er viermal, nein, fünfmal, die Straße überqueren. Konnte man das überhaupt allein? Natürlich erst auf den Verkehr hören, dachte Beer. Wenn keine Autos und Mofas zu hören waren, mußte man nur den weißen Stock ausstrecken, nach der Methode: »Achtung – Leute, – jetzt – komm' – ich!«

Sie würden bestimmt zu ihm hinsehen und ihn bedauern, denn anfangs ging er gewiß noch sehr unbeholfen über die Straße.

»Du mußt dich gegen das Mitleid der Leute abhärten«, hatte der Student ihm gestern noch ans Herz gelegt. »Zeig jedem, daß du kein Mitleid willst. Laß vor allem kein Wrack aus dir machen.«

Der Student hatte natürlich recht. Wenn man ein bißchen findig war, konnte man eine Menge Hindernisse umgehen. Allerdings begriff Beer sehr genau, daß er viele Dinge nie mehr tun konnte. Radfahren zum Beispiel. Mußte er fortan immer bei Freunden auf dem Gepäckträger sitzen? Dann mußten die sich dumm und dämlich trampeln für ihn. Irgend jemand berührte seinen Arm. Beer erschrak, weil es völlig unerwartet geschah.

»Ich komm' ein bißchen plaudern.« Es war der Student. Er sprach leise, um die anderen nicht zu stören.

»Willst du nicht studieren? Es ist gerade schön still.«

»Ich bin jetzt nicht in Stimmung.«

»Ist Studieren schwer?«

»Das nicht, aber...« Die Antwort blieb in der Luft hängen.

»Mußt du noch lange studieren?«

»Nein.« Und plötzlich klang die Stimme des Studenten wieder so traurig: »In ein paar Wochen bin ich mit allem fertig.«

Irgend etwas ist nicht in Ordnung, dachte Beer. Gerne hätte er jetzt das Gesicht des Studenten gesehen. Es lag etwas in seiner Stimme, das den Worten eine andere Bedeutung verlieh. War es etwas, das Beer noch nicht begriff?

»Bist du nicht froh, daß das Studium jetzt bald zu Ende ist?«

»Es ist nicht nur das, Beer. Auch alles andere ist bald zu Ende.«

Schnell, ganz schnell nahm Beer die letzten Worte in sich auf. Dann drang die schreckliche Wahrheit allmählich in sein Bewußtsein. »Meinst du ... nein, du meinst doch nicht...« Bestürzt hielt Beer den Atem an.

Der Student packte ihn am Arm. Er sprach jetzt wieder mit jener ruhigen Vertraulichkeit, die Beer so gut an ihm kannte. »Ja, das meine ich. Ich hab' nur noch ein paar Wochen.«

»Aber...«

»Du darfst nicht erschrecken, Beer. Ich bin nicht der erste, und ich werd' auch nicht der letzte sein. Wir denken immer, der Tod ist ein erbarmungsloser Feind. Aber wenn man ganz dicht vor ihm steht, so wie ich, dann gleicht er eher einem liebenswerten Freund.«

»Ich...« Beer wußte nicht, was er sagen sollte. Es würgte ihn.

»Sprich nicht mit den anderen drüber. Es soll ein Geheimnis zwischen uns bleiben.«

»Aber...« Beer schluckte. »Warum erzählst du es gerade mir?«

»Weil es dir helfen kann. Weil... wenn sogar der Tod ein Freund sein kann, dann kann auch die Blindheit ein guter Kamerad werden. Ich möchte so gern, daß du das Leben liebbehältst, wenn es auch manchmal enttäuscht.«

»Heh!« Gerrit war aufgewacht und drehte sich um. »Heh, was sitzt ihr da und tuschelt?«

»Ach, nichts Besonderes.« Der Student sagte es ganz ruhig, als wäre das Sterben nicht etwas ganz Besonderes. Er schaute jetzt lächelnd zu Gerrit hin.

»Bah«, murmelte Gerrit. »Daß ich jetzt ausgerechnet deine Fassade sehen muß. Ich hab' gerade von so einem hübschen Mädchen geträumt. Blond, mit allem Drum und Dran. Sie hat gesagt: ›Gert, komm mal her zu mir.‹ Und verdammt, als wenn ich keine kaputten Füße hätte, ich lief zu ihr hin.«

»Wenn ich du wäre, würde ich jetzt weiterschlafen. Vielleicht kommt das hübsche Mädchen dann wieder zu dir zurück.« Der Student lachte, während Beer zum Heulen zumute war.

»Ach, Mann, geh doch zum Teufel«, brummte Gerrit halb zu sich selbst.

Diese alltägliche Redewendung schnitt Berend ins Herz. Und es schien gerade so, als weine deswegen selbst der Himmel, denn der Wind blies heulend einen neuen Regenschauer an die Fensterscheiben, und klatschend spritzten die Tropfen auseinander.

»Wir liegen wenigstens im Trockenen«, sagte der Bäcker. Das war ein schwacher Trost.

An diesem Abend wollte der Schlaf nicht kommen. Immer wieder dachte Beer an das Gespräch mit dem Studenten. Sterben. Das schien das Schlimmste zu sein, was es gab. Aber warum? War das Leben denn etwas so unentbehrlich Schönes? Und wieder: warum?

Beer versuchte, die schönsten Dinge seines Lebens aufzuzählen:

Ferien. Aber wenn man einmal darauf verzichten mußte, war es auch nicht schlimm.

Geburtstag. Nun ja.

Sport. Eine ganze Menge Leute war gar nicht sportlich.

Nikolaus. Weihnachten. Silvester. Alles gemütliche, fröhliche Tage, aber unentbehrlich waren sie nicht.

»Nein«, murmelte Beer. Solch eine Aufzählung half nicht weiter. Wegen dieser Dinge wollte man doch nicht eigens leben. Umgekehrt gab es eine Menge häßlicher Dinge, und die fielen einem viel schneller ein:

Krieg wie in Vietnam.

Sterben. Und der Student war noch so jung.

Wenn sich Vater und Mutter scheiden ließen.

Klein-Jan, Beers Nachbar, der spastisch gelähmt war und immer in einem Wagen saß.

Armut, Hunger. Und war es nicht schrecklich, wenn man daran dachte, daß drei Viertel der Menschen auf der Erde unter Armut und Hunger litten?

»Seltsam«, flüsterte Beer. Es gab viel mehr schlimme, traurige, schreckliche als schöne Dinge im Leben. Aber deswegen wollte man doch nicht gleich sterben.

Was gab dem Leben dann eigentlich so viel Sinn? Daß man Vater und Mutter liebte, obwohl sie einander manchmal kaum mochten? Und Annemiek? Und Goof und Ben...? Ja, *das* war es. Unentbehrlich im Leben waren die Menschen, die man liebte. Und *alles* andere – die schönsten und häßlichsten Dinge – kamen erst an zweiter Stelle.

»Mann«, sagte Beer erleichtert. Wenn er auch blind war, das Wichtigste war dennoch nicht verlorengegangen. Menschen konnte man auch mit verschlossenen Augen lieben.

Die Tage verrannen. Die Geräusche am Morgen: Thermometerausteilen und Morgenwäsche. Ein nasser Lappen klatschte auf den Fußboden. Die Arztvisite. Der dicke Verband, der so gejuckt hatte, war Gott sei Dank durch einen leichten ersetzt worden, den man mit Pflaster befestigt hatte. Die Geräusche des Mittags: das Essenausteilen, das Geklirr von Messern und Gabeln. Und die klagende Stimme des Junkers: »Ich krieg' keinen Bissen runter.«

Meistens führte Schwester Ria Beers Hand, manchmal auch der Student.

»Versuch jetzt mal, *allein* zu essen«, hatte er eines Mittags gesagt. »Rechts auf deinem Teller liegt das Fleisch, es ist in kleine Stücke geschnitten. Das andere hab' ich mit der Gabel zerdrückt.«

»Ach, ich klecker' bloß«, hatte Beer abgewehrt.

»Das macht doch nichts! Später wirst du nicht mehr kleckern.«

»Ich kann es nicht sehen.«

»Du kannst es doch fühlen? Fledermäuse sind auch blind. Trotzdem fliegen sie fehlerfrei um Bäume herum, durch Zweige hindurch, an einer Wand oder einem Dach entlang. Und weißt du, warum?«

»Nein.«

»Jeder Gegenstand sendet Schwingungen aus, und diese Schwingungen fangen die Fledermäuse auf. Ich glaube, der Mensch verfügt auch über solch ein Radarsystem. Bemüh dich, es zu entwickeln, Beer. So wirst du unabhängig!«

»Glaubst du, daß ich das kann?«

»Aber natürlich. Ich hab' Blinde schon Fußball spielen sehen. Stell dir das mal vor: Zwei Mannschaften in einer großen Halle. Spieler, die fast nichts mehr sehen. Trotzdem finden sie den Ball. Sie dribbeln, geben Vorlagen, schießen Tore. Niemand begreift, wie das möglich ist. Trotzdem ist es so. Sie hören, wo der Ball ist. Sie spüren, wo ihr Gegenspieler steht.«

Beer hatte Messer und Gabel genommen. Er tastete am Tellerrand entlang, pickte mit der Gabel Fleisch auf, schob mit dem Messer das zerdrückte Essen auf die Gabel – und ohne besonders viel zu kleckern, hatte er ganz allein seine erste warme Mahlzeit verzehrt.

Danach hatte ihn der Student mit auf den Korridor genommen. Plötzlich hatte er Beers Arm losgelassen: »Lauf mal allein!«

»Aber...«

»Doch, du kannst es. Vorwärts, immer geradeaus.«

Beer war vorsichtig weitergetappt, doch auf einmal war er stehengeblieben.

»Warum gehst du nicht weiter?«

»Ich... ich hab' das Gefühl, daß da irgendwas steht.« Beer hatte seine Arme ausgestreckt. Und wirklich! Vor ihm war eine Wand.

»Siehst du?« rief der Student triumphierend. »Siehst du, daß du es spürst?«

Beer war sich dessen noch nicht ganz sicher, aber es stimmte, daß er dicht vor der Wand stehengeblieben war.

Die Geräusche des Nachmittags: erst das Mittagsschläfchen und Gerrits lautes Geschnarche. Später dann schlürfende Schritte auf dem Korridor. Stimmen, Geraschel von Papier, das um Blumen und Süßigkeiten gewickelt war, kündigten die Besuchszeit an. Dann kam Mutter, manchmal mit Oma, manchmal mit Annemiek.

»Wer ist der unsympathisch aussehende Mann mit den langen Haaren und dem Bart?« hatte Oma einmal flüsternd gefragt. Oma hatte etwas gegen Langhaarige.

»Der gehört nicht hierher«, hatte Beer geantwortet.

»Doch, Junge. Er liegt ja dir gegenüber. Links in der Ecke.«

Jetzt erst hatte Beer begriffen, daß Oma den Studenten gemeint hatte. Das verwirrte Beer, denn er hatte sich den Studenten ganz anders vorgestellt. Und wieder wurde ihm bitter bewußt, daß die Menschen in ihrem Urteil über andere so unbesonnen vom Äußeren ausgingen: von einem Bart und langem Haar, von einem vornehmen grauen Anzug, von einem zu kurzen Kleid. Nach einem Rollkragenpullover, einem schönen Ring oder einem Oberhemd mit Krawatte wurden Menschen gleich in bestimmte Schubfächer gesteckt. All diese Äußerlichkeiten zählten nicht mehr, wenn man keinen Schimmer sehen konnte.

»Der Student ist hier mein allerbester Freund«, hatte Beer gereizt geantwortet.

Und weil er spürte, wie Oma darauf zu Mutter hinsah, hatte er noch spitzer hinzugefügt: »Und er hat nur noch ein paar Wochen zu leben.«

Die Morgen, die Mittage, die Abende und die Nächte reihten sich gleichmäßig aneinander. Doch die Tage verrannen nicht mehr. Dazu war in Saal 3 zuviel geschehen, was Beer tief berührt hatte. Da waren zuallererst die Gespräche mit dem Studenten, der sein Bestes tat, um Berend auf dem schwierigen Weg, der noch vor ihm lag, zu helfen. Nur ein einziges Mal ließ er erkennen, warum er das so wichtig fand:

»Ich möchte so gerne, daß etwas von mir in dir weiterlebt.«

Was dies betraf, hatte Beer ihn vollkommen beruhigen können. Dann war da die wachsende Freundschaft zu dem sonderbaren, rauhen Gerrit, der trotz seines großen Mundwerks doch ein weiches Herz besaß. Es war rührend, mit welcher Sorge er Beer umgab.

»Schwester«, sagte er einmal zu der ziemlich strengen Schwester Ras. »Könnte Beer mich nicht einmal in einem Rollstuhl herumfahren? Dann würde ich mal was anderes sehen als immer nur Cruyff, den Bäcker und den Bartaffen in der Ecke.«

Schwester Ras hatte einen Rollstuhl geholt und Gerrit unter großem Gelächter hineinbugsiert.

»Und jetzt schieben, Beer. Der Blinde, der den Lahmen geleitet.«

Sie fuhren auf dem Korridor von einem Ende zum anderen und hatten eine Menge Spaß. Plötzlich sagte Gerrit mit geheimnisvoller Stimme: »Stop, Beer, und ein Stück zurück. Dreh mal nach rechts. Noch 'n bißchen. So, ja, und jetzt langsam vorwärts, und leise.«

Beer schob den Rollstuhl vorsichtig weiter.

»Etwas nach links«, flüsterte Gerrit fast unhörbar.

Was hatte er vor?

Sie mußten jetzt ganz nahe bei der Küche sein, dachte Beer. Er hörte, daß Tassen auf Untertassen gestellt wurden. Ein Wasserhahn lief. Und dann hörte Beer die erstaunte Stimme von Schwester Ria: »Heh, was wollt ihr denn hier?«

»Schieb, Beer. Bis es nicht mehr weitergeht.«

Beer machte noch zwei Schritte.

»Heh, stop!« rief Schwester Ria nervös lachend. War sie in der Ecke eingeklemmt?

»Mach jetzt mal deine Ohren dicht, Beer«, murmelte Gerrit heiser. »Ria, kommst du mal her?«

»Das ... Nein, Gerrit, laß mich los!«

Beer hörte Schwester Rias Füße und das Geräusch der gestärkten Schürze. Dann schien es Beer, als habe Schwester Ria das Gleichgewicht verloren und sei auf Gerrits Schoß geplumpst.

»Nein, Gerrit. Das gibt es ni...« Schwester Rias Stimme wurde erstickt, und der Grund war nicht schwer zu begreifen. Dann eine ziemliche Stille. Beer hörte nur den Kessel, der auf dem Gas stand und dampfte. Der Rollstuhl unter seinen Händen wackelte richtig.

»So«, flüsterte Gerrit und seufzte zufrieden. »Das war der erste, aber nicht der letzte!«

Sahen sie sich an? Küßten sie sich wieder? Gespannt wartete Beer darauf, was Schwester Ria sagen oder tun würde. Mußte man nicht erwarten, daß sie wütend war und Gerrit eine Ohrfeige gab? Das geschah glücklicherweise nicht.

»Aber Gerrit«, sagte sie leise, doch ihre Stimme klang nicht böse. Im Gegenteil.

Sie stand wieder auf den Füßen. Strich sie ihre Kleider glatt? »Ria, übers Jahr krieg' ich mein eigenes Schiff. Einen Lastkahn. Und da kommst *du* drauf!«

»Du bist verrückt!«

Gerrit lachte beinahe so froh wie ein Kind. »So, Beer, jetzt retour. Wieder auf den Korridor zurück.«

Mit der einen Hand zog Beer den Rollstuhl hinter sich her, mit der anderen tastete er sich zur Tür.

»Nee, Bengel, bißchen mehr nach links«, rief Gerrit

übermütig. Und dann sagte er warmherzig und überzeugend: »Ria, es ist ein phantastisch schönes Leben auf einem eigenen Schiff.«

In Gedanken sah Beer Schwester Ria mit kräftigen Armen am Ruder eines Lastkahns stehen – und der Schiffer hatte seinen Arm um ihre Schulter gelegt.

»Beer, denk dran«, flüsterte Gerrit, als sie wieder auf dem Korridor waren. »Du hast nichts gehört und nichts gesehen.«

»Nein, ich hab' wirklich nichts gesehen«, schmunzelte Beer, und es war das erste Mal, daß er über seine Blindheit einen Scherz gemacht hatte. Das gab ihm ein befreiendes Gefühl. »Gut so, Junge. Fahr mich jetzt zurück in den Saal. Dann wollen wir Junker Cruyff 'n bißchen aufziehen.«

Später, als er wieder im Bett lag und Hilversum III hörte, sagte sich Beer, daß sowohl der Student als auch Gerrit ihm ein sehr persönliches Geheimnis anvertraut hatten. Und er fragte sich: Hätten sie das auch getan, wenn ich noch sehen könnte...?

Endlich, endlich kam ein Morgen, der ganz und gar von einem einzigen kleines Satz des Arztes erfüllt war. Der Arzt hatte den Verband gelöst und sich die gut heilenden Wunden angesehen. Dann sagte er: »Gut, Beer, von mir aus kannst du morgen nach Hause.«

Nach Hause! Diese zwei Worte erfüllten Beer durch und durch mit Freude. Doch kurz darauf kam ein Dämpfer. Wie sollte, wie konnte er dem Studenten diese Neuigkeit beibringen?

4

»Lieber Himmel«, dachte Beer, als Vater und Mutter ihn mit einem Taxi abholen kamen. Er wußte nicht recht, wie er mit der neuen Situation fertig werden sollte.

Nun war der schwierige Augenblick des Abschieds gekommen. Abschied von Schwester Wil, Abschied von den anderen Krankenschwestern und Abschied von Saal 3. Das griff ihn mehr an und berührte ihn tiefer, als er es für möglich gehalten hätte. So ein Abschied ging einem doch verdammt nah. Schwester Wil gab ihm einen Kuß und drückte ihn an ihre sanfte, unverletzte Wange: »Versprich es mir, Beer, Kopf hoch. Sobald es geht, besuch' ich dich mal.«

Dann Abschied von Saal 3, mit dem elenden Gefühl, daß man liebgewordene Freunde im Stich lassen mußte. Mühelos fand Beer den Weg zu den Betten und streckte seine Hand erst dem Bäcker, dann dem Junker entgegen: »Alles, alles Gute. Und auf Wiedersehen!«

Erst als er dieses auf Wiedersehen automatisch vor sich hingesagt hatte, wurde ihm bewußt, wie dumm es klang.

Gerrit hatte natürlich die nötigen Späße auf Lager. Doch das, was er zuletzt sagte, klang ernst: »Mein lieber Beer, du wirst mir sehr fehlen, Junge. Wer soll mich denn jetzt zur Küche fahren, wenn du nicht mehr da bist? Ria und ich werden dir eine Karte schicken – wenn es je so weit kommt.«

Über Beers Rücken lief ein Zittern, als er sich tastend den Weg in die Ecke des Studenten suchte. Der Student hatte nicht in seinem Bett gelegen, sondern an der Tür auf ihn gewartet.

»Danke... Danke für alles...!«

Beer hätte ihm so gern noch viel mehr sagen wollen, aber er brachte kein Wort mehr über seine zitternden Lippen. Glücklicherweise machte es auch der Student kurz: »Tschüß, Beer. Behalt das Leben lieb. Und mach was draus.«

Beer hatte genickt.

»Mach's gut, Beer.«

»Du auch. Du auch!«

Zwischen Vater und Mutter die langen Korridore des Krankenhauses entlang zum Ausgang. Eine unbeholfene Stolperpartie in der großen Drehtür, worüber Mutter ziemlich erschrak. Dann in das Taxi, das draußen wartete.

»Fahren wir also«, sagte Vater.

»Ja, fein!« sagte Mutter.

Der Wagen fuhr an. Sie nahmen die erste, unsichtbar gewordene Kurve. Das Krankenhaus – das Wartezimmer des wirklichen Lebens – gehörte schon der Vergangenheit an. Was war in wenigen Wochen nicht alles geschehen. Beer hatte das Gefühl, daß er nun endgültig Abschied genommen hatte von dem sportlichen, unbekümmerten Jungen, der er früher gewesen war. Er war nicht etwa ganz plötzlich erwachsen. Aber ein Stück seiner Jugend hatte er für immer verloren.

Die Fahrt nach Hause wuchs sich zu einem wahren Schrecken aus. Es berührte Beer viel schlimmer, als er es sich vorgestellt hatte, daß sie nun durch vertraute Straßen fuhren, die er nicht sehen konnte. Geräusche des unsichtbar gewordenen Verkehrs. Unsichtbare Menschen auf den Bürgersteigen. Unsichtbare Häuser,

Läden, Bäume und der unsichtbar gewordene Eisenbahnübergang.

»Wo sind wir?«

»Auf dem Kerkbrink.«

Die Dunkelheit, die in der kleinen Welt von Saal 3 nicht so überwältigend erschienen war, brach nun mit aller Wucht über Beer herein. Einen kurzen Moment lang kam er sich wie ein blinder Passagier vor, dem sogar die Fahrkarte für die Fahrt durch das Leben fehlte. Er biß die Zähne zusammen, weil ihm schwindlig wurde von dem unerwarteten Bremsen und den Kurven, die er nicht sehen konnte.

»Wo sind wir?«

»Wir fahren die Van-Driel-Straat entlang.«

Vater und Mutter versuchten, den dunklen Abgrund mit Sprüchen zu überbrücken. Das gelang natürlich nicht. Für sie mußte diese Fahrt beinahe ebenso furchtbar sein. Nahmen sie nicht ein blindes Kind mit nach Hause?

Das Taxi fuhr langsamer.

»Wir sind da«, sagte Vater. Dabei legte er seine Hand ermutigend auf Beers Knie. Dann öffnete er die Wagentür und stieg aus, um schnell den Taxifahrer zu bezahlen.

Beer war aus dem Taxi geklettert. In einem Anflug von Panik klammerte er sich ängstlich und niedergeschlagen an den Arm seiner Mutter. »Lieber Himmel!«

Jetzt stand er vor dem eigenen Gartenzaun, mit dem eigenen Haus dahinter, und er sah das alles nicht. Es erschien auch kein Bild auf dem Bildschirm seiner Vorstellung, seine Ratlosigkeit hing wie ein pechschwarzer Vorhang davor.

Wieder zu Hause! Doch alles, was davon übrigblieb, waren die unsicheren Schritte auf dem Weg durch den Garten. Die Haustür ging auf. Die aufgeregte Stimme von Annemiek flog ihm entgegen: »Ha, Beer! Fein, daß du wieder da bist!« Er kriegte einen unbeholfenen Kuß aufs Ohr, weil er seinen Kopf im letzten Moment doch in die falsche Richtung gedreht hatte. Dann wieder weitertappen in vollkommener Dunkelheit.

»Achte auf die Treppe«, warnte Vater. Wieder so ein Spruch für Dreikäsehochs, der wie der Stachel einer Wespe mitten in die Verzweiflung traf. Hob er nur deshalb seinen Fuß zu früh? Und stolperte er deshalb beinahe doch noch über die verdammten Platten vor der Tür?

Wieder zu Hause! Er stand jetzt im Korridor – in dem einst so vertrauten, jetzt aber unsichtbar gewordenen Korridor –, aber Freude überkam ihn nicht.

»Endlich.« Mutters Stimme klang froh und glücklich, weil sie ihr Kind, mochte es auch noch so versehrt sein, wieder unter ihre Fittiche nehmen konnte.

»Du hast eine Torte geschickt bekommen«, sagte Annemiek. »Und Goof hat angerufen. Ob du schon da seist. Und Frau Den Beste hat eine Schachtel Pralinen gebracht. Und Tante Mansje...«

»Das kommt alles noch«, sagte Vater, der nervös an seinem Feuerzeug knipste, das nicht brennen wollte.

Zögernd ging Beer den Korridor entlang. Mutter nahm ihn behutsam am Arm, aber er machte sich los. Unter seinem Verband war die Welt unheilverkündend schwarz.

»Bist du müde? Willst du dich ein bißchen hinlegen?«

Beer schüttelte den Kopf. Er wollte allein sein. In

Gottes Namen einfach allein sein mit seiner Angst und seiner zugeschnürten Kehle. »Erst mal in mein Zimmer.«

Schließlich fand er doch das Treppengeländer und die ersten Stufen.

Mutter war schon wieder hinter ihm. »Geht's?«

»Ja, Mutter. Ich find's schon.« Er sagte es so freundlich wie möglich, um den anderen die Freude über seine Rückkehr nicht ganz zu verderben.

»Laß ihn nur.« Geflüsterte Worte von Vater, der natürlich, zu Mutter und Annemiek gewandt, vielsagende Gesten machte.

Auf halber Treppe stolperte Beer über die letzte Stufe vor dem kleinen Absatz. Glücklicherweise bot ihm das Geländer noch rechtzeitig Halt. Unbeholfen, trotzig und halb weinend fand er sein Zimmer. Da er den Abstand falsch schätzte, fiel die Tür etwas zu laut und nachdrücklich hinter ihm zu. Rang! Auch das noch. Vielleicht dachten sie unten, daß er sich wie ein undankbarer, verwöhnter, alberner Kerl benahm. Sollten sie es denken.

Wieder zu Hause. Beer holte tief Atem, ein paar Mal hintereinander. Es dauerte ein Weilchen, ehe er sein Gleichgewicht einigermaßen wiederfand.

Das Zimmer roch nach Farbe. Hatte Vater es während seiner Abwesenheit renoviert? Vorsichtig tastete Beer die vertrauten Wände ab. Er roch an der Tür. Nein, die hatte keine Farbe abgekriegt.

Das Bett stand noch an derselben Stelle. Aber was war das? »Heh...«

Der Tisch war weggerückt. An der Wand stand ein neues Regal: ein Riesending, in große und kleinere

Fächer unterteilt. Hatten Vater und Mutter das Regal selbst gebaut und angestrichen?

»Das kann doch nicht...«

Es rührte Beer beinahe zu Tränen, als er begriff, daß seine Eltern sich für ihn ganz schön den Kopf zerbrochen hatten. Ein Regal mit Fächern! Da würde er seine Sachen bequem finden, solange nur alles ordentlich in die dafür bestimmten Fächer gelegt wurde.

Der Tisch stand jetzt unter dem rechten Fenster. Beer ging um ihn herum, stieß gegen den Stuhl. Halt suchend, berührte seine Hand einen schweren, stählernen Gegenstand, der sich auf dem Tisch befand.

»Teufel...«

Er spürte einen runden Drehknopf, hervorstehende Metallteile, dann berührten seine Finger eine Tastatur.

»Eine Schreibmaschine«, murmelte er. Er tastete weiter, und seine Hände berührten einen zweiten Gegenstand. Wieder fanden seine Finger Tasten. Noch eine Schreibmaschine? Warum zwei? Vater fand doch sein Geld nicht auf der Straße? Allmählich wurde ihm die Wahrheit bewußt. Mit einem Kugelschreiber oder einem Füller würde er seine Hausaufgaben nicht mehr machen können. Das wäre für die Lehrer unlesbar. Eine normale Schreibmaschine war die Lösung.

Und der andere Apparat mit der viel kleineren Tastatur? Sollte der vielleicht Blindenschrift schreiben?

»Wahrhaftig!« Links auf dem Tisch lagen einige Bogen Papier. Seine Fingerspitzen nahmen die kleinen Erhebungen der Punktschrift wahr, die in das starke Papier gedruckt waren.

Die Blindenschreibmaschine war ein greifbarer Beweis für die Sorgen, die sich Vater und Mutter gemacht hatten. Sie hatten über die Probleme eines blinden Kindes nachgedacht und diese beiden Schreibmaschinen angeschafft. Und Beer hätte darauf geschworen, daß Mutter schon eine Menge auf der Blindenschrift-Maschine geübt hatte.

Beer lief zum offenen Fenster und atmete die Frühlingsluft tief ein. Und es war, als trüge ihm der warme Wind die Worte des Studenten zu: »Beer, was einen Menschen wirklich blind macht und lähmt, das sind Mißtrauen, Angst und Auflehnung. Die machen alles dunkel. Aber mit ein bißchen Glauben, ein bißchen Mut und ein bißchen Lebensbejahung bleibt es hell!«

Der Student hatte recht gehabt. Während der bedrückenden Fahrt von Saal 3 nach Hause hatten Dunkelheit und Auswegslosigkeit Beer vollkommen beherrscht. Nun, da seine Stimmung umschlug, sah er die Dinge wie von selbst wieder vor sich.

Beer steckte den Kopf zum Fenster hinaus. Unter ihm lag der Garten. Vertraute Bilder traten vor seinen inneren Blick: der Rasen, der Zierjohannisbeerstrauch, der jetzt wohl gerade blühen mußte. Dahinter die Wand mit Mutters Rosen und der Ziegelweg zum Schuppen. »Ja«, sagte Beer laut. Er hatte das Licht in seiner Hand. Er spürte die Sonne auf seinem Gesicht. Von einem hohen Zweig tönte das Gezwitscher einer Drossel.

Es war gut zu leben, und es wurde Zeit, hinunterzugehen. Mußte er seinen Eltern nicht endlich sagen, wie schön es für ihn war, wieder zu Hause zu sein?

»Wieder zu Hause, mein Junge«, sagte Vater, als sie bei Tisch saßen und köstliche Gerüche von gebratener

Lammkeule, gerösteten Kartoffeln, frischem Salat mit Schnittlauch und Apfelmus aufstiegen. Die Heimkehr wurde mit einem Festmahl gefeiert. Die Nase hatte die Aufgabe der Augen übernommen, denn Beer, der die Gerüche aufnahm, sah die Schüsseln vor sich.

»Hunger?«

»Ja, Mutter. Gib nur auf.«

»Goof, nimm dir Fleisch und reich die Platte weiter.«

»Danke.«

Mutter hatte Bennie und Goof zum Essen eingeladen – vielleicht, weil sie sich so sehr wünschte, daß alles wieder wie früher sei.

Beer hatte sich auf seine Freunde gefreut, aber es war nicht so das Richtige. Schwer zu sagen, weshalb. Ihre Stimmen glitten munter über den Tisch, aber ihre Worte waren irgendwie leer – sie glichen Wäscheklammern, die keine Wäsche hielten: »Am Sonnabend hättest du uns mal sehen sollen. Harry war Mittelstürmer, und Kees stand halbrechts, auf deinem Platz...«

»Weil sein Vater im Vorstand sitzt. Bloß deswegen. Dieser Sack hat doch 'ne klare Chance vergeben. Bloß seinetwegen haben wir verloren!«

Sie hatten vor drei Tagen 3:0 verloren, und das ließ ihnen noch immer keine Ruhe. Ein Tor nicht anerkannt, aber zu Unrecht. Ein Linienrichter, der das Abseits nicht gesehen hatte. Hand, dafür hätte es Strafstoß geben müssen. Fußball, Fußball, Fußball, als gäbe es kein Krankenhaus. Ein paar Mal hatte Beer versucht, von Gerrit, dem Junker und dem Studenten zu erzählen. Bennie und Goof hörten geduldig zu, aber es erreichte sie nicht. Die erste Bemerkung über den orangefarbenen Pyjama und den Spitznamen des Junkers hatte das Gespräch sofort wieder auf Fußball gebracht.

»Apropos Cruyff«, sagte Bennie zu Goof. »Hast du Sonntag im Fernsehen sein letztes Tor gesehen?«

»Klar! Phantastisch war das!«

Leere Wäscheklammern auf der Wäscheleine, dachte Beer. Zum ersten Mal spürte er eine leichte Sehnsucht nach Saal 3 und nach den Gesprächen mit dem Studenten. Ganz ehrlich war das nicht. Hatte er vor seinem Unfall nicht genauso begeistert über Fußball geredet? Und das hatte doch immer Spaß gemacht?

Nein, es lag nicht an Bennie und Goof. Er selbst schaffte den Sprung aus der Welt des Krankenhauses auf den Fußballplatz noch nicht.

»Beer, soll ich dir helfen?« fragte Mutter, als offenbar alle ihren Teller leergegessen hatten.

»Ich schaff's allein. Das hab' ich im Krankenhaus auch geschafft, wenn ich auch ziemlich gekleckert hab'.«

»Du kannst so viel kleckern, wie du willst«, sagte Vater, dann war es still – vielleicht deshalb, weil Beer neben sein Fleisch gepikt und eine leere Gabel zum Mund geführt hatte.

»Was macht die Schule?« fragte er schnell, weil er sofort spürte, daß sie ein wenig verwirrt zu ihm hersahen.

»Wir werden mit Klassenarbeiten totgeschlagen. Heute wieder zwei, Algebra und Franz.«

»Sybolt hat 'ne Fünf von Tams gekriegt, weil er gespickt hat!«

»Das werd' ich nie mehr tun können«, sagte Beer. Niemand lachte, obwohl es doch als Scherz gemeint war.

Nein, das Festessen war nicht das Richtige. Beer stocherte im Lammfleisch herum, kleckerte mit seinem Salat und überlegte, daß es nicht an Vater und Mutter lag. Sie taten ihr Bestes, um es gemütlich zu machen. Woran lag es dann?

Plötzlich erkannte Beer, daß er geglaubt hatte, Anspruch auf alle Aufmerksamkeit erheben zu können, daß er, unbewußt, mehr Mitgefühl erwartet hatte. Deswegen zu schmollen, hatte natürlich überhaupt keinen Sinn. Er mußte den Sprung von Saal 3 in die kleine Welt seines Zuhauses schaffen. Beer schob seine Gabel unter die gerösteten Kartoffeln und nahm einen Happen.

»Wo spielt ihr am Sonnabend?« fragte er mit vollem Mund.

»Auswärts, gegen Victoria«, antwortete Bennie. »Das wird 'n hartes Spielchen. Wir müssen uns um den zweiten Platz schlagen.«

»Dann komm' ich gucken«, sagte Beer, obgleich gucken nicht das richtige Wort war.

»Das fänd' ich Klasse«, rief Goof gleich. »Wenn du da bist, gehen wir natürlich extra scharf ran.«

»Ich hol' dich ab«, sagte Bennie begeistert.

Plötzlich war die alte Vertrautheit wieder da. Ein Wort gab das andere: über Fußball, über die Schule, über Mädchen, über Partys und, ja, auch über das Krankenhaus. Jetzt schien es fast, als reichten Worte nicht aus: Worte wie Wäscheklammern auf der Leine, die jetzt die saubere, manchmal leicht verblichene und verschlissene Wäsche aus dem Leben eines jeden festhielten.

Schon während des ersten Tages begriffen Vater und Mutter, daß Beer möglichst seinen eigenen Weg gehen wollte. Jede elterliche Hilfe und Fürsorge lehnte er ganz bewußt ab: »Nein, laßt mich nur machen«, sagte er dann. Oder: »Ich helf' mir am besten selber.«

Als Bennie und Goof fort waren und Beer sich todmüde, aber doch zufrieden hinlegen wollte, blieben Vater und Mutter – wenn auch nur mit Mühe – im Zimmer zurück.

»Wir kommen gleich noch mal kurz nach oben«, klang es ruhig, doch Annemiek wurde nachdrücklich zu verstehen gegeben, sie solle Beer folgen und ein Auge auf ihn haben.

Die meisten Kinder leben in einer wunderbar weiten, inneren Welt, von der meist nur ein kleiner Teil sichtbar wird. Sie sehen, wissen und spüren unendlich viel mehr, als ihre Umgebung vermutet. So auch Annemiek. Sie plapperte über alles und nichts und folgte Beer die Treppe hinauf. Indessen spürte sie ganz genau, was sich im Inneren ihres Bruders abspielte.

»War ein schöner Tag, heh?«
»Ja.«
»Fein, daß du wieder zu Hause bist.«
»Na und ob!«

Kurze, unbedeutende Sätze, doch unterdessen legte Annemiek den Pyjama griffbereit aufs Bett. Sie achtete auch sorgfältig darauf, daß Beer sich nicht stieß oder über den Stuhl stolperte. Und dank ihrer Hilfe kamen der Waschlappen, die Zahnbürste und das Handtuch wie von selbst in Beers Hände. Noch nie hatte sie sich so eng mit Beer verbunden gefühlt. War das der Grund, weshalb das Gespräch allmählich ernster wurde?

Zögernd, wie meist zwischen Bruder und kleiner

Schwester, fragte Beer: »Wie waren Vater und Mutter, als ich im Krankenhaus lag?«

Und Annemiek, so klein sie auch war, begriff genau, was er meinte: »Seit dem Unfall haben sie sich fast nicht mehr gestritten.«

»Ehrlich?«

»Wirklich!«

Beers Hände glitten am Bücherregal entlang.

»Das hat Vater gebaut.«

»Ja, ich weiß.«

Aber in Beers Kopf spukten viele Fragen, auf die er noch keine Antwort wußte. »Weißt du, was mit mir passieren soll? Kann ich wieder zur Schule? Oder ... oder muß ich in eine Blindenanstalt?«

Annemiek zuckte mit den Schultern, aber da ihr Bruder das nicht sehen konnte, antwortete sie schnell: »Das weiß ich nicht.«

»Hast du nichts darüber gehört?«

Annemiek zögerte kurz, ganz kurz nur. Dann kam die Notlüge: »Nein...«

Annemiek mußte schwindeln, weil über diese lebenswichtige Frage noch keine Einigkeit in der Familie bestand.

Als Vater und Mutter kamen, um gute Nacht zu sagen, lag Beer schon im Bett. Annemiek wurde mit einer Kopfbewegung in ihr eigenes Zimmer geschickt.

»Es ist herrlich, daß wir dich wieder zu Hause haben«, sagte Mutter, während sie die Decke zurechtschob, die an einer Stelle über den Bettrand hing.

»Was soll nun mit mir passieren?«

»Zuallererst mußt du die Blindenschrift lernen, Beer. Am Anfang wird es dir hoffnungslos vorkommen. Aber du wirst sehen, im Laufe der Zeit nehmen deine

Finger die Buchstaben genauso auf, wie es deine Augen getan haben.«

»Kann ich auf der Schule bleiben?«

So, die alles beherrschende Frage war heraus. Gespannt wartete Beer auf die Antwort. Er hatte das Gefühl, mit dieser Antwort würde über seine ganze weitere Zukunft entschieden.

»Vielleicht. Vielleicht auch nicht«, sagte Vater vorsichtig. »Wir müssen noch gründlich überlegen, was für dich das Beste ist.«

»Habt ihr schon mit dem Direktor gesprochen?«

»Ja.« Wieder war es Vater, der antwortete. »Er meinte, ein blinder Schüler sei eine zu schwierige Aufgabe für die Lehrer. Er wußte nicht, ob es die Lehrbücher, die ihr benützt, auch in Blindenschrift gibt. Kurz und gut, er sah eine Menge Schwierigkeiten.«

»Oh...« Beers Angst nahm wieder zu.

Dann hörte er Mutters Stimme: »Junge, du hattest zu Ostern ein hervorragendes Zeugnis. Wir werden uns ganz toll anstrengen, um nachzuholen, was du in den vergangenen Wochen versäumt hast. Und dann werden wir den Direktor überzeugen, daß du kein Problem für die Schule sein wirst.«

»Ich kapier' schon«, murmelte Beer. »Die meisten Schulen wollen keine Wracks, stimmt's? Das meinst du doch?«

»Wir werden der Schule zeigen, daß du kein Wrack bist«, sagte Mutter mit großer Überzeugungskraft.

Beer nickte. Das war ihm aus dem Herzen gesprochen. Um ganz sicher zu sein, fragte er: »Muß ich in eine Blindenanstalt?«

»Beer«, sagte Vater mit einer Stimme, die sehr

57

verwundbar klang. »Du bist gerade erst nach Hause gekommen. Das allerwichtigste ist, daß du dich erholst und deine Kräfte wiedergewinnst. Dann werden wir gemeinsam überlegen, was das Beste für dich ist.«

»Auf jeden Fall strengen wir uns mächtig an, damit du in deiner alten Klasse wieder mitkommst.«

Beer merkte, daß Mutter ihn bei diesen Worten zudeckte, wie sie es schon lange nicht mehr getan hatte.

»Jetzt schlaf erst mal. Es war ein furchtbar anstrengender Tag für dich.«

Er bekam einen Gutenachtkuß, als sei er wieder genauso alt wie Annemiek.

»Es war ein schöner Tag«, sagte Beer. »Ich dank' euch für alles!«

Vater und Mutter gingen die Treppe hinunter. Die Wohnzimmertür ging zu. Deutlicher als je zuvor hörte Beer die Geräusche des Hauses: das Knarren der Treppe, das Klappern eines Fensters, das leise Summen des Kühlschranks in der Küche. Ein Moped knatterte die still gewordene Straße entlang.

Wieder zu Hause!

5

»Ich kann es nicht! Ich kann es nicht!«

Fluchend schlug Beer mit der geballten Faust auf den Tisch. Seine ungelenken, noch wenig geschickten Finger konnten die Arbeit der Augen noch nicht leisten. Diese verdammte Schreibmaschine hatte fünfzig Tasten, und die Buchstaben standen furchtbar unordentlich durcheinander: das a neben dem s, das c neben dem v.

Mutter saß neben ihm. Sie war Sekretärin gewesen und wußte, wie man blindschreiben lernen mußte. Immer wieder hatte sie Beers Hände auf den Tasten geführt.

»Wenn ich doch nur ein Mal, ein einziges Mal sehen könnte, wo die Buchstaben sitzen«, sagte Beer mit verzweifelter Stimme.

»Hab ein bißchen Geduld bitte. Es geht nicht auf Anhieb.«

Geduld! Mutter hatte natürlich recht. Er war erst seit zwei Tagen damit beschäftigt, und in so kurzer Zeit konnte man keine Wunder erwarten.

»Es ist gleich halb zwölf. Für heute vormittag ist es genug«, sagte Mutter, während sie die Schreibmaschine fortschob. Seufzend stand Beer auf. Seinen Weg in die untere Etage fand er schon viel besser als in den vorangegangenen Tagen. In seiner Hand spürte er den weißen Stock, den Vater und Mutter zusammen mit der Blindenschreibmaschine besorgt hatten und der schon einen festen Platz in der Korridorecke bekommen hatte.

»Beer, was willst du jetzt tun?«

»Ich geh' ein bißchen Luft schnappen.«

»Ja... Ja, tu das.« Es klang schon etwas zögernd, aber Mutter sagte diesmal glücklicherweise nicht, er müsse vorsichtig sein.

Er öffnete die Tür und ging hinaus. Während er vorsichtig vorwärtstastend seinen Weg zum Gartentor suchte, hatte er das Gefühl, daß ihm Mutter durchs Küchenfenster nachschaute. Fühlte sie sich beunruhigt, als sie ihn so hilflos gehen sah? Würde sie rufen, er solle im Garten bleiben und dürfe noch nicht auf die Straße?

Beer bewegte seinen Stock hin und her und fand das Gartentor. Mutig ging er weiter und bog plötzlich nach rechts ab. So war er am schnellsten aus Mutters Blickfeld.

Der Stock glitt an der Bordsteinkante entlang. Wo wollte er hin? Ja, in den kleinen Park. Da stand eine Bank, die ohne viel Mühe zu finden sein mußte. Er mußte einfach bis zur ersten Kreuzung gehen und dort die Straße überqueren.

In Gedanken war ihm alles so einfach erschienen. Wie schwer aber war so ein kleiner Spaziergang in Wirklichkeit. Er kam vom Bürgersteig ab. Er stieß gegen den Briefkasten, weil er vergessen hatte, daß das Ding da stand. Der Schweiß brach ihm aus. Als er die Kreuzung endlich erreicht hatte, zitterten ihm die Knie, und er fühlte sich in der Dunkelheit hoffnungslos verloren.

Stand er auch an der richtigen Stelle? Konnte er die Straße jetzt in gerader Richtung überqueren, oder mußte er sich mehr links halten? Ein Auto schob sich vorbei. Schritte. Hohe Absätze klapperten auf Stein. Und plötzlich eine Stimme: »Kann ich dir helfen?«

»Nein, danke. Ich mach' das schon selbst.« Er mußte es allein tun, sonst lernte er es nie. Die Absätze klapperten weiter und verschwanden. Beer wollte hinüber, denn es schien jetzt auf der Straße ruhig zu sein. Stand er richtig? Es war dumm gewesen, Hilfe abzulehnen. Warum sollten Leute ihm nicht helfen können?

»Jetzt...!«

Er streckte seinen Stock aus und trat von der

Bordsteinkante auf die Straße. Einen Augenblick lang das Gefühl der Angst. Nein, weitergehen. Auf der Straße stehenbleiben bringt Unglück. Undeutliche Verkehrsgeräusche. Ein Auto fuhr um die Kurve.

»Ho...« Beinahe wäre er über die Bordsteinkante gestolpert, aber er hatte wenigstens die andere Straßenseite erreicht. Mein Gott, es erwies sich alles so unendlich viel schwieriger und komplizierter, als er es sich im Krankenhaus vorgestellt hatte.

»Verdammt...!« Er lief in eine Hecke. Die Zweige stachen ihn. Wo war nur der Park? Links? Rechts? Wieder überfiel ihn ein Gefühl von Panik. Er tastete sich an der Hecke entlang und bewegte sich schrittchenweise weiter. Unter seinen Schuhen knirschte loser Kies, der über die Platten des Bürgersteigs verstreut war.

»Mannomann!« Beer holte tief Luft. Die Hecke hörte auf. Stand er jetzt vor dem Parkweg? Oder womöglich vor dem Eingang eines wildfremden Gartens? Schritte hinter ihm. Ja, doch fragen. Menschen sind da, um einander zu helfen.

»Hallo?«

»Ja?« Die zögernde Stimme eines Mannes.

»Steh' ich hier vor dem Park?«

»Uh ... Park? Nein, ganz und gar nicht. Das is'n Stück weiter.«

Ein Mann mit einer Hasenscharte. Aber ein freundlicher Mann. Hilfsbereit ergriff er Beers Arm. »Soll ich dich schnell hinbringen?«

»Gerne«, sagte Beer. »Ich sehe keinen Funken. Wenn ich nur davor stehe, dann weiß ich's wieder.«

Es war angenehm, tüchtige Schritte machen zu können und die Muskeln ihre normale Arbeit leisten zu lassen. Auf diese Weise kam man anständig vorwärts.

»Hier ist es. Kann ich noch was für dich tun?«

»Wo steht die Bank?«

»Genau vor dir. Auf der rechten Seite des Weges. Willst du da hin?«

»Das kann ich selbst. Herzlichen Dank!«

»Nichts zu danken. Gern geschehen!«

Langsam, Schritt für Schritt ging Beer den Weg entlang und tastete jeden Meter mit dem Stock ab. Solange der Kies unter seinen Sohlen knirschte, war er richtig.

»Päng!« Der Stock schlug gegen Metall. Das mußte der Papierkorb sein. Nun war er dicht davor. Ja, tatsächlich. Er hatte die Bank gefunden. Todmüde, mit einem Seufzer der Erleichterung ließ sich Beer auf die Bank sinken.

Der Geruch von Blüten und von getrocknetem Mist. Die Frühlingssonne fiel auf sein Gesicht. Ein Vogel zwitscherte, und Beer fragte sich, ob er mit der Zeit all die zwitschernden Vögel würde unterscheiden können. Während er früher nie darauf geachtet hatte, war es jetzt ein überwältigender Klang für ihn.

Seine Mutlosigkeit, an der die Schreibmaschine schuld war, hatte sich gelegt. Beer fühlte sich zufrieden. Zum ersten Mal seit seinem Unfall war er die Straße entlanggegangen und hatte das gestellte Ziel aus eigener Kraft erreicht. Sicher, es hatte Augenblicke der Angst und der Panik gegeben. Es war auch verdammt schwer gewesen, den Weg in vollkommener Dunkelheit zu finden – schwerer, als er es sich vorgestellt hatte. Aber nun saß er eben doch auf der Bank. Beer lächelte zufrieden. Vielleicht hätte er etwas weniger zufrieden gelächelt, hätte er gewußt, daß seine Mutter ihm voller Sorge gefolgt war.

In der Ferne das gleichmäßige Summen des Verkehrs. Rundum das Gezwitscher der Vögel. Sanft strich der Wind über seine schweißnasse Stirn und brachte ein wenig Abkühlung unter dem heißen Pflasterverband.

Der Kindergarten schloß jetzt. Das war an dem fröhlichen Geschrei zu hören. Und plötzlich einzelne Kinderstimmen ganz in der Nähe: »Ich will Pilot werden!«

»Und ich Kapitän. Auf einem ganz großen Schiff!«

»Und du, Jan?«

»Ich?« Nach der Stimme zu urteilen, war Jan ein Knirps von vier Jahren.

»Ja, du!«

»Ich werd' später König. König vom ganzen Land!«

Gelächter.

»Du Dummer. Das wirst du nie. Da muß doch dein Vater König sein.«

»Oder deine Mutter Königin, sonst geht's nicht.«

»Doch«, sagte Jan. »Ich werd' durch mich selber König.«

Beer sah die Jungen vor sich. Besonders Jan: ein kleines Kerlchen mit Rotznase und einem offenen Schnürsenkel.

»Wie denn? Wie willst du König werden?« riefen die anderen.

»Na ... erst kauf' ich mir 'n Pferd. Und dann töte ich den Drachen!«

»Hu, huh. Einen Drachen! Die gibt's doch gar nicht, Mann!«

»Dann töte ich eben was anderes«, sagte Jan schnell.

»Und dann erlöse ich die Prinzessin. Und dann heirat' ich sie. Und dann stirbt ihr Vater. Und dann wird die Prinzessin Königin. Und dann«, rief er triumphierend, »dann bin ich König!«

»Haha, wo willst du denn die Prinzessin erlösen?«

»Irgendwo«, sagte Jan sehr überzeugt. Jetzt war es eine Weile still. Offenbar dachten die anderen angestrengt nach. »Und wenn dich die Prinzessin nicht liebt? Und dich nicht heiraten will?«

»Ja, Jan, was machst du dann?«

»Dann werd' ich der Gärtner der Königin«, sagte Jan.

»Ein Gärtner ist noch kein König.«

»Doch«, sagte Jan heftig. »Denn dann sagt die Königin: ›Jan, ich bin alt. Und ich bin müde. Ich will nicht mehr Königin sein. Das ganze Getue. Das ganze Geschwätz. Jetzt soll's mal ein anderer machen.‹«

»Und dann?«

»Dann sagt sie zu mir: ›Jan, du bist der beste Gärtner des Landes. Du bist bestimmt auch der beste König.‹ Na, und dann bin ich *doch* König!«

Diese Worte machten sichtlich Eindruck, denn wieder folgte eine kurze Pause.

»Und dann bin ich der Chef«, sagte Jan. »Und jetzt geb' ich keine Antwort mehr. Das hat 'n König nicht nötig.«

Lief er weg? Beer hörte ihn auf dem Kiesweg vorbeikommen. Jan, der König, mit seinem unverwüstlichen Glauben.

»Das geht nicht«, rief ihm ein anderer Junge nach.

»Geht doch!« schrie der kleine König selbstsicher zurück.

Beer stand lächelnd von der Bank auf. Die Kinderstimmen hatten ihm gutgetan. Wenn man nur unerschütterlich an die Zukunft glaubte – wie Jan –, dann überwand man aus eigener Kraft viele Schwierigkeiten.

Jetzt schlenderten die anderen Jungen vorüber.

»Heh, wollt ihr mir einen Gefallen tun? Bringt mich doch mal schnell auf die andere Straßenseite.«

»Hast du dir die Augen verletzt?«

»Siehst du das nicht?«

»Kannst du nichts sehen?«

»Nein«, sagte Beer. »Ich kann nichts sehen.«

»Überhaupt nichts?«

»Nein, überhaupt nichts. Euch nicht. Die Häuser nicht. Und die Straße nicht.«

»Was siehst du denn dann?«

»Andere Dinge.«

»Was denn?«

»Ich seh' Jan auf einem hohen Thron sitzen, mit einer goldenen Krone auf dem Kopf.«

Da wußten sie keine Antwort. Ihre verwunderten Gesichter konnte Beer nicht sehen, aber plötzlich nahmen sie ihn bei der Hand und brachten ihn piekfein über die Straße, wobei sie ihn auf jede kleine Unebenheit aufmerksam machten. Erst als er die eigene Gartentür passierte – die durch die überhängende Konifere leicht zu finden war –, kam Mutter ihm entgegen.

»Ich wollte dich gerade holen gehen«, sagte sie, und es tat Beer wohl, daß ihre Stimme jetzt entspannt klang. Offenbar hatte sie sich keinen Augenblick beunruhigt.

»Wie spät ist es eigentlich?« fragte Beer. Künftig würde er etwas besser auf den Glockenschlag der Turmuhr achten müssen.

»Gleich halb elf«, sagte Mutter. »Ich möchte nicht zu spät essen; der Doktor kommt noch vorbei, und das könnte am frühen Nachmittag sein. Warst du schön spazieren?«

»Ja«, antwortete Beer, »es war prima!« Und einigermaßen stolz setzte er hinzu: »Ich war bis zur Bank im Park.«

»So weit?«

Mutters Stimme klang höchst erstaunt, denn im Interesse ihres Kindes durfte sie schon ein bißchen Komödie spielen.

Beer schob das Blindenschrift-Alphabet beiseite. Dank Mutters Hilfe konnte er schon eine große Zahl von Buchstaben auf den Bildschirm seiner Vorstellung projizieren. Dankbar dachte er an Louis Braille, den blinden Franzosen, der vor anderthalb Jahrhunderten blinden Menschen das Lesen, Schreiben und Rechnen ermöglicht hatte, indem er die später nach ihm benannte Blindenschrift erfand. Zum ersten Mal in seinem Leben empfand Beer es als großes Vorrecht, daß er so gut lernen konnte und ein einwandfreies Gedächtnis besaß. Es war bloß zum Verzweifeln, daß die Fingerspitzen noch immer einen Kurzschluß zwischen dem Papier und dem Gehirn verursachten. War das eine Sache der Übung und Geduld?

Der Doktor war immer noch nicht gekommen. War es schon nach drei? Halb vier? Es wurde allmählich langweilig, Mutter immer wieder nach der Uhrzeit zu fragen. Ob es Braille-Uhren gab?

Beer schob seinen Stuhl zurück, stand auf und ging zur Tür. Er stieß mit der Hand gegen das Waschbecken und blieb, einer plötzlichen Regung folgend, stehen. Er stand jetzt vor dem Spiegel und beugte sich etwas vor. In Gedanken sah er sein Gesicht, wie es früher ausgesehen hatte. Später hatte er den dicken Verband um den Kopf bekommen, und er konnte sich vorstellen, wie er da ausgesehen hatte. Und jetzt trug er den Verband mit den Pflastern. Was würde wohl zum Vorschein kommen, wenn der Verband heute vielleicht abgenommen wurde?

Reglos stand Beer vor dem Spiegel. Er versuchte, sich vorzustellen, wie er von jetzt an aussehen würde. Seine Augenhöhlen sah er als dunkle Löcher. Würden sie sich mit mißgestalteten, überhängenden Augenlidern füllen, unter deren Rändern noch ein schmaler weißer Streifen seiner Augäpfel zu sehen wäre?

»Mein Gott.« Wieder überfiel ihn die Angst, daß er fortan häßlich aussehen würde. Daß er die Menschen abschreckte. Und vor allem: daß ihn nie ein Mädchen ansehen würde. Wäre das nicht das Schlimmste von allem?

Natürlich, er könnte eine dunkle Brille tragen. Aber eine dunkle Brille, dazu der weiße Stock, würden ihn immer an den blinden Mann erinnern, den er in der engen Ladenstraße sich so hilflos hatte vorwärts tasten sehen.

»Laß kein Wrack aus dir machen«, hatte der Student gesagt. Der Student. Als Beer jetzt an ihn denken mußte, schämte er sich ein bißchen. Was waren häßliche Augenlider gegen das Warten auf den Tod?

»Tja«, murmelte Beer seufzend. Was auch kommen würde, er mußte es ja doch auf sich nehmen. Einen anderen Weg gab es nicht.

Die Haustür ging auf und schlug wieder zu.

»Er ist oben. Kommen Sie mit?« Mutters Stimme, dann schwere Schritte im Korridor. Der Doktor war gekommen. Beer unterdrückte ein Frösteln. In wenigen Minuten würde der Verband gelöst werden, und was zum Vorschein käme, würde für immer bleiben. Und »immer« war verdammt lang.

Schritte auf der Treppe. Gepolter auf dem Treppenabsatz und Mutters flüsternde Stimme. Die Zimmertür ging auf.

»Hallo Beer!«

»Guten Tag, Herr Doktor.«

»Du siehst gut aus. Wieder 'n bißchen Farbe im Gesicht.«

»Kann der Verband heute ab?«

»Wir werden mal sehen.«

Die Tasche wurde auf den Tisch gestellt. Der Doktor drehte den Wasserhahn auf und wusch sich die Hände.

»Ich hol' mal eben ein sauberes Handtuch.« Mutter verließ das Zimmer und kam wieder zurück: »Bitte.«

»Danke.«

Beer schluckte. Jetzt mußte es geschehen. Der Doktor öffnete seine Tasche. Ein paar Sachen wurden auf den Tisch gelegt.

Herrgottnochmal, dauerte das lange. Es war wie ein Film in Zeitlupe. Ein Fläschchen mit einem stark riechenden Zeugs wurde entkorkt.

»Setzt du dich mal hierhin?«

Der Stuhl wurde ans Fenster geschoben. Mutter faßte Beer an der Schulter, führte ihn hin und drückte ihn sanft auf den Stuhl.

»Den Kopf ein bißchen mehr nach hinten. So, ja.«

Die kühle Hand des Doktors auf seinem Gesicht.

Ein nasser Wattebausch bewegte sich über die Pflaster. Krankenhausluft im Zimmer. Ja, jetzt lösten die Finger den Verband. Die Haare der Augenbrauen blieben hängen, und das tat weh.

»Hm«, murmelte der Doktor.

Das konnte alles bedeuten, und Beer hielt den Atem an. Er mußte auf eine Reaktion von Mutter achten. Wenn sie erschrak und irgend etwas ausrief, wenn ihre Stimme zitterte, dann bestand kein Zweifel mehr, daß er stark entstellt war. Stand sie denn immer noch schräg hinter ihm? Hatte sie noch nichts gesehen?

»Hm.«

Kühle Finger schoben die rechte Augenbraue etwas an. Da konnte Beer nicht länger an sich halten: »Und?« In diesem einen kleinen Wort lag die Angst langer Wochen.

»Die Wunden sind schön verheilt.«

Mutter kam näher. Beer fühlte ihre unruhige Hand auf seiner Schulter, als sie sich über ihn beugte. Dann ihre Stimme: »O ja!«

Zwei Worte nur, aber sie besaßen einen befreienden Klang. »Wie sieht es aus?«

»Wirklich gut, Beer«, sagte der Doktor. »Wir dürfen recht zufrieden sein. Die Narben sind noch ein bißchen rot, aber das vergeht ganz von selbst.«

»Bin ich ... Ist es ... Sehe ich nicht schrecklich aus?«

»Gar nicht«, sagte der Doktor und packte seine Sachen ein.

»Wirklich nicht, Mutter?« Beinahe krampfhaft verlangte Beer absolute Gewißheit.

»Nein, wirklich nicht!« Mutter kämpfte gegen das bedrückende Gefühl, daß sie die Augen ihres Sohnes nie mehr sehen würde. Sie biß sich auf die Lippen. »Es sieht überhaupt nicht schrecklich aus.«

»Wie denn? Sag mir's genau!«

»Tja, du siehst aus wie jemand mit geschlossenen Augen. Ganz normal.«

»Nicht ... abstoßend?«

»Bestimmt nicht«, lachte der Doktor. »Du denkst doch nicht etwa, daß im Krankenhaus Pfuscher arbeiten?«

»Nein, das nicht, aber ...«

»Glaub mir, Beer, die Wunden sind gut verheilt, und bald ist nichts mehr davon zu sehen.«

»Brauche ich keine dunkle Brille zu tragen?«

»Nein.«

»Gott sei Dank«, flüsterte er, und die krampfhafte Spannung machte einem Gefühl der Erleichterung und Dankbarkeit Platz. Jetzt, da der Verband endlich abgenommen war, hatte er das Gefühl, daß ihm sein Gesicht wiedergegeben worden war.

6

Wenn man blind ist, wiegen die Worte, die man hört, doppelt schwer. Das hatte Beer zuerst im Krankenhaus erfahren, als Schwester Annie anstelle von Schwester Wil gekommen war. Welch ein Unterschied zwischen ihren Stimmen!

Seither hatten Worte und Stimmen immer mehr Bedeutung bekommen. Spiegelten sie nicht die Persönlichkeit, den Charakter, die Seele eines jeden Menschen wider?

Wenn jemand mit ihm sprach, sah Beer kein Gesicht mehr. Keinen lachenden oder verbissenen Mund; keine fröhlichen oder traurigen Augen; keine eifrig gestikulierenden Hände, die die Worte der Menschen umrahmen. Er mußte ohne die Kenntnis ihres Äußeren mit ihnen sprechen, ohne zu wissen, ob jemand sich scheu, verlegen oder herausfordernd benahm. Das war ein großes Handikap. Doch Beer hatte entdeckt, daß er den Menschen dennoch eine äußere Gestalt zuschreiben konnte: indem er aufmerksam ihren Stimmen lauschte.

Es gab eitle, aggressive und angeberische Stimmen; müde, traurige und erloschene Stimmen; und unzufriedene Stimmen. Es gab Stimmen, die einfach nur so daherredeten, und nachdenkliche Stimmen. Auf diese Weise besaß ein kleines Wort wie »ja« schon unendlich viele Bedeutungen: es gab ein jauchzendes »Ja«, ein sachliches »Ja«, ein zögerndes »Ja«, ein tapferes »Ja«.

Nicht die äußere, sondern die innere Welt gewann an Bedeutung, und die Worte berichteten durch ihren Klang ganz genau über das Wesen jedes Menschen. Das sollte Beer an diesem Sonnabendnachmittag aufs neue erfahren, als er mit Bennie und Goof auf den Fußballplatz ging, um ihrem Kampf gegen Victoria »zuzuschauen«.

»Wie spät ist es jetzt?« fragte Beer zum dritten Mal in einer halben Stunde.

»Viertel nach eins«, sagte Vater.

»Ob sie es vergessen haben?«

»Ach was. Sie werden bestimmt gleich kommen.«

Schon ein ganzes Weilchen ging Beer vor dem Haus auf und ab und wartete auf seine Freunde. Er fühlte sich nervös und wußte nicht weshalb. Hatte er Angst vor einer Begegnung mit den Jungen seiner alten Fußballelf? Angst, daß der blinde Beer zu sehr am Rande stehen würde? Angst, wie ein verirrter Vogel an der falschen Stelle niederzugehen?

Geratter auf der Straße. Geklapper von Bennies Schutzblech, das schon vor dem Unfall locker war. War auch Goof mitgekommen?

»Heh, Beer!«

»Hallo, Beer!«

Die Fahrräder hielten an.

»Himmel, Goof!« rief Annemiek. Ihre Stimme klang aufgeregt.

»Wo hast du...«

Beer konnte nicht sehen, daß Bennie und Goof ihre Finger mit einer Sssst-Geste auf die Lippen gelegt hatten. Annemiek schluckte ihre Frage hinunter.

»Sitz auf, Beer«, sagte Bennie eilig. »Wir müssen uns ranhalten!«

Beer ging hin, tastete mit seinem Stock nach dem Fahrrad. »Ja, nur zu. Hier steh' ich.« Es klang etwas ungeduldig und gleichgültig. »Los, steig auf.«

Erstaunt sahen Vater und Mutter zu. Es berührte sie, daß Bennie und Goof ihren Sohn behandelten, als hätte er seine Augen noch. Als ob sich nichts geändert hätte. Als sei es ganz normal, daß er jetzt mit ihnen zum Sportplatz ging.

»Viel Spaß«, rief Mutter lebhaft – doch es tat ihr das Herz weh, als sie sah, wie unsicher ihr Beer auf dem Gepäckträger saß und beinahe das Gleichgewicht verlor.

»Sorgt dafür, daß ihr gewinnt«, rief Vater – innerlich traurig, weil er nie mehr zusehen konnte, wie sein Sohn spielte.

»Wir werden ihnen 'ne Lektion erteilen«, sagte Goof.

»Beer, halt du meine Tasche fest«, sagte Bennie.

So machten sie sich auf den Weg zum Victoria-Sportplatz; das Schutzblech klapperte, und auf dem Gartenweg fuhren sie im Zickzack.

Bennie und Goof hatten ihre Räder in den Fahrradständer geschoben. Sie gingen auf einem schmutzigen, glitschigen Weg zum Clubgebäude. Rundum hörte man Stimmen und in einiger Entfernung dumpfe Schläge gegen einen Ball.

»Ich warte hier«, sagte Beer. Er spürte von allen Seiten Blicke auf sich gerichtet. Das Spielfeld, die Zuschauer, die Spieler – das alles schnürte ihm die Kehle zu. Und gerade, weil er so angespannt war, wurde es in seinem Kopf vollkommen dunkel.

»Wirklich, ich bleib' hier.«

»Bist du verrückt«, sagte Goof. Er nahm Beer ein bißchen fester beim Arm. »Du gehst mit zum Umkleideraum. Die freuen sich doch alle, wenn sie dich wiedersehen.«

»Ach, nein!«

»Aber ja doch!«

Er ließ sich fortziehen. Obgleich er an den Geräuschen hätte erkennen können, daß er direkt vor dem Umkleideraum sein mußte, stolperte er doch über die Stufe.

»Paß auf die Schwelle auf«, sagte Bennie.

»Ja.«

Und da war die Luft, die typische Luft des Umkleideraums, Schweiß, muffige Sporttaschen und ungewaschene Trikots. Von allen Seiten hörte er begeisterte herzliche Stimmen: »Ha, Beer!«

»Prima, daß du da bist!«

Schulterklopfen. Kniffe in den Arm. Seine Rechte wird manchmal von zwei Händen gleichzeitig ergriffen.

Diese Wärme nahm Beer schlagartig alle Spannung. In seinem Kopf wurde es wieder heller, und wie von selbst sah er den Umkleideraum und die Jungen vor sich. Es war nicht mehr schwer, ihre Stimmen zu erkennen: »Ha, Dikkie!«

»Hallo, Geert.«

»Ha, Gomp!«

»Wirklich Klasse, daß du zuschauen kommst«, sagte Gompie in guter Absicht.

Beer bekam einen Platz auf der Bank. Er hörte nackte Füße auf dem Fußboden, das Kramen in den Sporttaschen, hörte, daß Schuhe auf die Erde geworfen wurden. Und Gespräche über das bevorstehende Spiel, über Hausaufgaben, über eine Party, zu der einige Jungen gehen wollten. Wie immer übertönte die große Klappe von Kas alles andere.

Übermütige und draufgängerische Stimmen. Stimmen, die Aufmerksamkeit verlangten und fröhlich sein wollten. Sie bedrängten Beer schmerzlich. Hatte er sich zu sehr an die stillere und geräumigere Welt von Saal 3 gewöhnt?

Draußen ertönte ein Pfiff. Stollen von Fußballschuhen trappelten nun in großer Zahl über den Fußboden. »Komm mit«, sagte Goof.

»Mein Stock.« Beer nahm seinen Stock und bemerkte rechtzeitig die Schwelle. Doch in dem Gedränge der hinauslaufenden Spieler verlor er fast das Gleichgewicht.

»He, kannst du nicht gucken?« rief ein Junge

von Victoria, der den weißen Stock zu spät gesehen hatte.

Sie liefen zum Spielfeld. Die Sonne war zum Vorschein gekommen. Beer spürte ihre Wärme auf seinem Gesicht.

»Setz mich irgendwo an der Linie ab, Goof. Am besten in der Sonne.«

»Geht in Ordnung. Hier lang.« Wie ein Pferd am Zügel, so kam sich Beer unter dem Druck von Goofs Hand auf seiner Schulter vor.

Auf dem Rasen das Geräusch der Schritte von rennenden Jungen. Der dumpfe Aufprall eines Balles. Die Stimme von Harrys Vater, dem Trainer, der seine Elf zu sich rief.

»Wart mal«, sagte Goof.

Beer blieb gehorsam stehen. Dann bemerkte er, daß sich die Jungen um ihn geschart hatten. Wollte Harrys Vater noch eine kleine Anfeuerungsrede halten, wie er es fast vor jedem Spiel tat? Etwa in dem Stil: Kees, bleib am Mann. Und du, Gompie, kein Gedribbel. Und Bennie, denk an Abseits. »Ja, dann mal los, Dikkie«, sagte Harrys Vater. Plötzlich war es still, und man hörte nur noch den frischen Frühlingswind.

»Lieber Beer«, begann Dikkie mit ziemlich feierlicher Stimme.

Himmel, dachte Beer. Verzweifelt umklammerte er den Stock in seinen Händen, denn er ahnte, daß eine Ansprache kommen würde. Wenn er das gewußt hätte.

»Beer, toll, daß du heute gekommen bist. Unsere Elf hat dich nicht nur als Torschützen Nummer eins, sondern vor allem als Freund vermißt.«

»Aber Dikkie...« Beer versuchte, seinen ehemaligen

Mannschaftskapitän zu bremsen und womöglich zu stoppen, aber Dikkie redete unbeirrt weiter:

»Du weißt natürlich noch, daß du uns im letzten Spiel mit deinem herrlichen Tor zum Sieg verholfen hast. Du hast damals gesagt: ›Das war reines Glück. Ich hab' mit geschlossenen Augen geschossen.‹ An diesen Satz haben wir noch oft gedacht. Mit geschlossenen Augen! Wir sind ganz sicher, daß du in deinem Leben noch oft Tore schießen wirst, wenn auch nicht auf dem Fußballplatz.«

Beer wurde es jetzt wirklich zuviel. Immer wieder stocherte er mit seinem Stock im Gras und wußte nicht, wie er sich verhalten sollte.

»Wir wollen dir als Mannschaft etwas überreichen. Kein Abschiedsgeschenk, denn du gehörst ja noch immer zu uns.« Und dann, in einem anderen Ton: »He, Bennie, klingel mal!«

Eine Fahrradklingel ertönte.

»Es ist ein Tandem«, sagte Dikkie, und Gott sei Dank war der Ernst jetzt vorüber. »Beer, wir dachten, ehe du jede Woche deinen trägen Hintern auf den Gepäckträger von einem anderen hievst, trittst du auf so 'nem Tandem wenigstens selber mit. Und was den vorderen Sattel betrifft: du kannst immer auf einen von uns rechnen!«

Beer schluckte und schluckte. Hatte ihn die Zeit im Krankenhaus so empfindlich gemacht?

Da zog Goof ihn zu dem Rad und führte seine Hand zur Lenkstange. »Es sieht klasse aus. Ganz rot und weiß, in den Clubfarben!«

Beer hatte das Gefühl, etwas sagen zu müssen, aber er fand plötzlich keine Worte. Mit diesem Kloß im Hals brachte er nichts heraus. »Habt schönen Dank alle. Vielen Dank. Das, das ist einfach zuviel. Deshalb, geht jetzt auf 'n Platz und ... knallt Victoria 'n paar Tore rein.« Und Goof, der noch immer neben ihm stand, flüsterte er zu: »Bring mich bitte zu einem ruhigen Plätzchen.«

Goofs Hand legte sich wieder auf Beers Schulter. Goof führte ihn behutsam zu einer ruhigen, sonnigen Stelle an der Linie. Dort ließ sich Beer nieder, nicht wie ein verirrter Vogel, sondern wie ein Bär, der nach einem Streifzug durch einen dunklen Wald wieder in seine sichere Höhle zurückgekehrt war.

Er fühlte sich geborgen.

Beer hatte sich nie bewußt gemacht, daß die Spieler seiner Elf bei einem Kampf so viel und so laut schrien. Die Rufe schallten über das Spielfeld:

»Hierher. Hier!«

»Gompie, gib ab!«

»Bleib am Mann!«

»Penner, dribbel nicht so lange!«

Aus all dem Geschrei war zu entnehmen, wo jeder Spieler stand. Die Schritte, das Dröhnen eines Schusses und der Aufprall des Balles verrieten Beer, wie das Spiel verlief.

»Ecke! Ecke!«

»Die schieß' ich!«

»Nein, Harry, ich!«

Elf Schreihälse, die um den Sieg kämpften und nichts anderes als den Ball sahen. Hatte ihr Eifer nicht etwas Verrücktes, wenn man an Schwester Wil, an Gerrit oder an den sterbenden Studenten dachte? Und doch hatten sie ihm ein Tandem geschenkt. Noch immer erfüllte ihn ein Gefühl der Wärme.

»Los, Jungens, geht ran!« rief er laut über das Spielfeld.

77

Zehn Minuten Spielzeit waren vergangen. Noch immer 0:0. Beer war so in das Spiel vertieft, daß er die leise herannahenden Schritte nicht gehört hatte. Erst als jemand sich räusperte, begriff er, daß jemand neben ihm stand.

»Hallo, Beer!«

Beer drehte sich ganz unnötigerweise um. Er hatte die Stimme nicht erkannt.

»Hallo...« Er zögerte.

»Ich bin Tjeerd. Tjeerd Bosma.«

»Du hier?« Beer hörte in seiner eigenen Stimme die Verwunderung. Was wollte Tjeerd, ein mageres Bürschchen aus seiner Klasse – ein As im Lernen, aber ein ängstliches, ungeschicktes Gestell im Sport –, auf dem Fußballplatz?

»Ich hab' gehört, daß du heute nachmittag hier bist.«

»Ja.«

Beer hatte Mühe, sich das Gesicht von Tjeerd genauer vorzustellen. In der Klasse hatte er sich immer abseits gehalten. Oder hatten sich die anderen nicht um ihn gekümmert, weil ... tja, warum?

»Wie steht es?« fragte Tjeerd mit seiner bedächtigen Stimme. Es interessierte ihn natürlich kein bißchen.

»Immer noch 0:0.«

»Oh.«

Worüber sollten sie reden. Beer überlegte, daß er nach irgend etwas in der Schule fragen mußte, doch der bedächtige Tjeerd kam ihm zuvor: »Ich wollte dir eigentlich schreiben. Ich hab's nicht gemacht, und deshalb bin ich hier. Ich wollte dir sagen, nun ja, nicht nur, daß ich deinen Unfall schrecklich finde. Das findet ja jeder.«

Geschrei auf dem Spielfeld. Der durchdringende

Pfiff des Schiedsrichters, weil jemand die Regeln verletzt hatte. Aber Beer interessierte sich nicht mehr für das Spiel. Gespannt lauschte er der zögernden, vorsichtigen Stimme von Tjeerd, und es schien, als hätte das Langweilige und Bedächtige in seiner Stimme einen anderen Klang bekommen. »Wenn du willst, helf' ich dir in der Schule, so gut ich kann.«

»Mensch, Tjeerd.« Beer wußte nicht, was er darauf antworten sollte.

»Den Rückstand, den du durch den Unfall hast, können wir leicht aufholen. Dann brauchst du das Jahr nicht noch mal zu machen. Dann bleibst du in unserer Klasse.«

»Ich glaub', der Rektor ist nicht so sehr dafür.«

»Warum nicht?«

»Ein Blinder fällt einer Klasse natürlich zur Last.«

»Ich seh' nicht so viele Schwierigkeiten«, sagte Tjeerd. »Wirklich, ich hab' lange darüber nachgedacht. Mit diesem Problem werden wir schon fertig. Deswegen bin ich ja hergekommen, hörst du? Um dir das zu sagen. Wenn du willst, komm' ich jeden Tag zu dir und helf' dir. Ich hab' Zeit genug.«

»Mensch, das ist wirklich großartig von dir.«

»Denk mal darüber nach.«

Diese bedächtige Stimme. In der dunklen Welt hinter Beers geschlossenen Augen spiegelte diese Stimme einen anderen Jungen als den zurückgezogenen, farblosen Tjeerd wider, den er früher in der Klasse gesehen hatte. Wie war es möglich, dachte Beer, daß er erst als Blinder ein Stück von Tjeerd, wie er wirklich war, entdeckt hatte? Seine Elf hatte ihm ein Tandem geschenkt, und das war wirklich eine schöne Sache. Aber Tjeerd hatte sich selbst gegeben.

Laute, empörte Stimmen vor dem Tor von Victoria.

»Bennie ist im Strafraum ganz gemein gelegt worden«, sagte Tjeerd. Offenbar verstand er doch etwas von Fußball.

»Und?«

»Ja, der Schiedsrichter gibt Strafstoß.«

»Gut so. Den wird Bennie schießen. Das wird bestimmt das 1:0.«

Es wurde das 1:0. Die Jubelschreie nach der gespannten Stille sprachen für sich selbst.

Beer empfand voller Dankbarkeit, daß er nach seinem Unfall noch keinen so schönen Tag erlebt hatte wie heute – mit seiner Mannschaft, die dem Sieg entgegenspielte, mit dem rot-weißen Tandem in den Farben des Clubs und mit dem neu gewonnenen Freund neben sich. Trotz seiner Blindheit war er mit dem Leben sehr zufrieden.

7

»... Die römischen Legionen werden im Verlauf eines dreitägigen Kampfes im Teutoburger Wald von den aufständischen germanischen Stämmen vernichtet. Von dreißigtausend Soldaten kann nur eine Handvoll entkommen, um den Bericht von der Katastrophe in die Festungen und Lager längs des Rheins zu bringen...« Tjeerds Stimme stockte.

»Der Aufstand in Germanien war doch im Jahre 9 nach Christus?« fragte Beer.

»Stimmt. Soll ich das Stück noch mal vorlesen?«

»Nicht nötig«, sagte Beer. »Ich hab's jetzt im Kopf.«

Das war richtig. Seit er blind war, sprach die Geschichte – diese Lektion der Toten für die Lebenden – eine viel deutlichere Sprache als früher. Während Tjeerd vorlas, hatte Beer den Aufstand von Arminius gegen die Römer deutlich vor sich gesehen. An der Spitze der Legionen der Statthalter Varus, stolz und reglos auf seinem Vollbluthengst. Dahinter die lange Marschkolonne, die Wagen mit Zelten, Waffen, Proviant, die mühsam ihren Weg durch das unwegsame, sumpfige Gelände suchten. Die jungen Offiziere, die kurze Befehle an die Kohorten gaben. Das Gefluche der alten Centurios. Und dann plötzlich der Überfall der im Hinterhalt liegenden Germanen. Ihre schwirrenden Pfeile und ihr barbarischer Kriegsgesang. Wie in einem Film zogen die Bilder aus der Vergangenheit in Beers Vorstellung vorüber. »Wir kommen ganz schön voran«, sagte Tjeerd zufrieden. »Noch ein paar Mal, und du bist in Geschichte genauso weit wie wir!«

»Du hilfst mir sehr!«

»Mir macht's Spaß, weißt du das?«

»Hoffentlich ist deine Mühe nicht umsonst.«

Vater mußte noch mit dem Direktor sprechen, wollte aber damit warten, bis Beer zeigen konnte, daß er den Platz in seiner alten Klasse verdiente.

»Wetten, daß du im September wieder bei uns sitzt?«

»Ich hoffe«, sagte Beer, aber sicher war er dessen noch lange nicht.

Auch zu Hause bekamen die Tage allmählich einen festen Rhythmus. Beer hielt sich genau an den Plan, den er gemeinsam mit Vater und Mutter aufgestellt hatte. Er wollte alles tun, um in seine alte Schule zurückzukommen.

Morgens übte er das Braille-Alphabet. Nach einer Weile setzte sich Mutter zu ihm. Sie hatte sich in allerlei Anleitungen vertieft und versuchte, Beer so gut wie möglich zu helfen. Nach dem Kaffee gingen die Übungen auf der Schreibmaschine weiter.

Es gab Augenblicke der Ermutigung und der Verzweiflung. Manchmal wurde Beer wütend und rief, daß es so nicht ginge. Manchmal wieder schienen seine Fingerspitzen sensibler zu werden, und er erfaßte die Braille-Zeichen und -Tasten besser. »Ja, Beer, die letzten vier Buchstaben hast du ohne jeden Fehler getippt«, konnte Mutter dann ganz froh sagen, wenn ihre Geduld auch oft bis zum Äußersten auf die Probe gestellt wurde. »Merkst du, daß du die Lage der Tasten jetzt schon ein bißchen in die Finger kriegst?«

Beer war anderer Meinung. In seiner Verzweiflung machte er seiner Mutter manchmal Vorwürfe, daß sie ihn nicht klar genug unterwies. Meistens tat es ihm gleich darauf leid: »Entschuldige, ich hab's nicht so gemeint«, rief er dann, und um Mutter für alle ihre Geduld eine Freude zu machen, strengte er sich nun besonders an. So quälten sie sich zusammen weiter und kämpften darum, unlösbar scheinende Probleme zu überwinden.

Gegen halb zwölf unternahm Beer immer einen kleinen Spaziergang. Fast mühelos fand er jetzt den Weg zur Parkbank. Da setzte er sich oft und wartete, bis der Kindergarten aus war. Dann erfüllten Stimmen den Park. Lärmende Stimmen. Aufgeregte Stimmen. Schüchterne Stimmen. Und Stimmen, für die das Unmögliche möglich wurde. Für Beer war es eine Quelle der Anregung, der Weite ihrer kindlichen Phantasie zu lauschen.

Da kamen sie wieder, die draufgängerischen Stimmchen. Beer saß regungslos auf der Bank und spitzte die Ohren. »Mein Vater ist so stark, daß er einen Zug aufhalten kann!« Die Stimme von Gijs, der immer hoch hinaus wollte.

»Und mein Vater ist so reich, daß er einen ganzen Zug kaufen kann!« Die Stimme von Jan, der König werden wollte.

»Wenn dein Vater einen Zug kauft, dann hält ihn mein Vater an. Dann hat dein Vater nichts von dem Zug!«

»Dann kauft mein Vater eben zwei Züge«, sagte Jan plötzlich.

»Aber mein Vater kann auch zwei Züge anhalten!«

»Dann kauft mein Vater eben drei: Wenn dein Vater dann zwei Züge anhält, fahren wir mit dem dritten weg!«

»Dann stellt mein Vater seinen Fuß davor!«

»Das geht nicht«, rief Jan. »Er hat nur zwei Füße, und mein Vater hat drei Züge!«

»Doch«, sagt Gijs im Brustton der Überzeugung. »Zwei Züge stoppt er mit den Füßen, und den dritten hält er mit dem kleinen Finger an!«

Nun war es still. Jetzt wurde es schwierig.

»Und wenn mein Vater zehn Züge kauft?« klopfte Jan vorsichtig auf den Busch.

»Dann hält mein Vater alle zehn fest. Mit jedem Finger einen!«

»Dann kauft mein Vater ein Flugzeug«, rief Jan, der wieder zum Angriff überging. »Er ist doch reich genug!«

»Dann greift mein Vater das Flugzeug einfach aus der Luft!«

»Das geht nicht! Das geht nicht! Er hat ja bloß zehn Finger, und mit denen hält er die Züge fest!« Jans Triumph schien vollkommen.

»Das geht doch«, sagte Gijs langsam. Man spürte, daß er noch beim Überlegen war.

»Wie denn?«

»Mit seinen Zähnen«, sagte Gijs. »Er beißt das Flugzeug aus der Luft. Er ist stark genug!«

Jan, noch immer nicht übertrumpft, hatte seine Antwort schon fertig: »Dann kauft mein Vater einen Dampfer. Damit fährt er fort übers Meer!«

»Dann schmeißt mein Vater die zehn Züge in den Hafen. Dann kann dein Vater nicht durch!«

»Doch!«

»Kann er nicht!«

»Angeber!«

»Selber einer!«

So kamen sie an die Bank. Sie blieben stehen.

»Ha, Beer!« Die Züge und Flugzeuge waren vergessen. »Sollen wir dich auf die andere Straßenseite bringen?«

»Gern«, sagte Beer.

Eine verschwitzte und eine kühle Kinderpfote nahmen ihn an die Hand. Langsam gingen sie den Parkweg entlang.

»Meine Oma ist taub. Das ist auch schlimm«, sagte Gijs.

»Und meine Tante sitzt in einem Rollstuhl, weil sie nicht laufen kann. Das ist noch viel schlimmer«, meinte Jan. Fingen sie schon wieder an?

»Wenn man verrückt ist, das ist noch schlimmer«, rief Gijs.

»Mein Opa ist tot. Das ist das allerschlimmste!« Jans

Stimme klang fröhlich, weil er Gijs mit einem toten Großvater nun doch endlich übertrumpft hatte.

»Du bist da, Beer.«

»Ja, ich merk's. Habt schönen Dank!« Beer tippte mit seinem Stock gegen die Bordsteinkante, diesen sicheren Wegweiser auf dem Nachhauseweg.

Die Stimmen von Gijs und Jan wurden undeutlicher: »Wollen wir mal probieren, wer am weitesten mit geschlossenen Augen laufen kann?«

»Nee!«

»Warum nicht?«

»Wenn man mit geschlossenen Augen immer weiterläuft, kommt man vielleicht nach Amerika. Oder nach Afrika. Oder nach Den Haag.«

»Das geht nicht!«

»Doch!«

»Nein!«

Beer ging lächelnd nach Hause, den Stock immer an der Bordsteinkante.

Auch für die Nachmittage gab es einen festen Plan. Nach dem Kaffeetrinken arbeitete Beer mit Mutters Hilfe eine Stunde, bis Tjeerd kam und alle Aufmerksamkeit auf die Schularbeit gerichtet wurde. Und dann gab es auch noch die Abende, an denen er mit Vater zusammen arbeitete, bis um zwanzig Uhr die Nachrichten kamen.

»Wo ein Wille ist, ist auch ein Weg«, hatte Vater gesagt, als Beer gerade erst aus dem Krankenhaus gekommen war und sie über Beers Arbeitsplan gesprochen hatten.

Mutter hatte protestiert: »Ihr nehmt euch zuviel vor.«

»Vom Arbeiten ist noch niemand gestorben.«

»Ja, aber...«

»Wenn Beer etwas erreichen will, wird er härter arbeiten müssen als andere. Es ist besser, er fängt gleich damit an.« Vater wollte, daß er ein normaler Junge blieb. Und das war gut so. Oder konnte er die Blindheit seines Sohnes und deren Folgen noch nicht ganz akzeptieren?

»Ja, aber...«

»Vater hat recht«, hatte Beer hinzugefügt. »Und außerdem, was sollte ich sonst mit all meiner Freizeit anfangen?« Niedergeschlagenheit und Hoffnung sollten einander von nun an abwechseln, und manchmal quälte Beer sich bis zu Tränen. Aber einen anderen Weg gab es nicht, und er mußte zurückgelegt werden.

Noch *ein* Mal ging Beer zum Fußballplatz. Er wollte dabei sein, wenn das letzte Spiel der Spielzeit ausgetragen wurde. Es kostete doch einige Mühe, jemanden für den Vordersitz des Tandems zu finden. Bennie mußte nach dem Spiel gleich nach Hause. Goof mußte mit seinen Eltern nach Amsterdam. Gompie hatte Nachhilfestunde. Endlich, nach allerlei Telefongesprächen, war Geert bereit, ihn abzuholen. Im Umkleideraum saß Beer wieder zwischen seinen alten Freunden. Sie waren alle sehr nett zu ihm. Das schon. Doch immer stärker beschlich ihn das Gefühl, daß der Fußballplatz nicht länger seine Welt sein konnte. Warum? Lag es an den Gesprächen, die um ihn herum geführt wurden?

»Wollen wir heute abend ins Kino gehen?« Dikkie zu Gomp. Es wurde über einen James-Bond-Film gesprochen, den einige schon gesehen hatten.

»Morgen fängt das große Tennisturnier an.«

»Gehst du zuschauen?«

»Ich denke schon.«

»Ich nicht. Ich geh' zum Baseball.«

All diese Stimmen gehören in die Welt von früher, dachte Beer. Sätze, die früher aufregend gewesen waren, erreichten ihn kaum noch. James Bond, Tennis, Baseball. Das war alles interessant und nett – wenn man sehen konnte.

Während des Spiels stand Beer ein bißchen verloren neben dem Tor von Geert. Das Geschrei auf dem Spielfeld war genauso heftig und scharf wie voriges Mal.

»Vorsicht, Abseits«, rief Dikkie im Mittelfeld. Diese Worte blieben bei Beer haften. War es nicht das Schlimmste im Leben, im Abseits zu stehen? Und war das nicht genau jenes Gefühl, das ihn im Umkleideraum befallen hatte: Er wurde geduldet, aber er gehörte nicht wirklich dazu.

»Ich stehe hier wie ein Maskottchen«, sagte er zu sich selbst. Kein Kaninchen, wie es die holländische Nationalmannschaft besaß, sondern ein dummer, blinder Bär.

Ein Schuster soll bei seinem Leisten bleiben. Für einen Mann, der Straßen pflastert, gibt es auf See keine Arbeit. Ein Blinder auf einem Fußballplatz schien vollkommen überflüssig.

Wie schmerzlich diese Einsicht auch war, so brachte sie doch ein Gefühl der Erleichterung. Denn zugleich dachte Beer an andere Gebiete, auf denen er nicht im Abseits stehen würde.

»Los, Leute, zeigt es ihnen!« rief Beer über den Platz. Es war eine Art Abschiedsgruß an seine alte Mannschaft, die ihm teuer gewesen war und ihm ein

Tandem geschenkt hatte. Denn jetzt wußte er es genau: Die Welt der Fußballer konnte nicht länger seine Welt sein.

Erst später, viel später, begriff Beer, was in diesen Minuten am Rande des Fußballplatzes in ihm vorgegangen war. Gerade bevor Bennie das erste Tor schoß, richtete er sein Leben vom Sichtbaren und Körperlichen auf das Geistige, das Wesentliche der menschlichen Existenz. Ging dies auch unbewußt vor sich, so wurde ihm etwas davon doch deutlich.

Er mußte gerade an die Worte seines Vaters kurz nach dem Unfall denken: »Weißt du, Beer, Augen lenken uns meistens von der Hauptsache ab.« Gerade als ihm dieser Satz einfiel, erscholl auf dem Platz begeisterter Jubel. Nach einer Vorlage von Goof hatte Bennie seine Elf mit einem gelungenen Schuß in Führung gebracht.

Die Welt, in der er nicht im Abseits zu stehen brauchte und mit der er sich jetzt vertraut machte, das war die Welt der Bücher und Gespräche, der Gedanken und der Musik. Es war eine Welt, die auch von Tjeerd erfüllt wurde.

Der stille, schüchterne Tjeerd war ganz anders, als Beer ihn sich früher vorgestellt hatte. Es war erstaunlich, was er alles wußte, wieviel er gelesen und nachgedacht hatte. Jeden Nachmittag kam er für ein, zwei Stunden zu Besuch. Dann hatte er vorher schon haargenau ausgetüftelt, was er mit Beer tun wollte.

»Jetzt wiederholen wir erst die Latein-Vokabeln«, konnte er mit entschiedener Stimme sagen. »Und dann machen wir Französisch.«

Mit einer Art leidenschaftlicher Geduld sagte er

lateinische oder französische Wörter her und las – manchmal zwei-, dreimal – verschiedene Texte vor.

»Wir müßten ein Tonbandgerät haben«, sagte er eines Nachmittags, als er einen schwierigen Abschnitt Biologie wiederholt hatte. »Mit einem solchen Gerät könnten wir eine Menge Zeit gewinnen.«

»Das schon, aber solche Sachen sind ziemlich teuer«, hatte Beer geantwortet.

»Wir kaufen trotzdem eins.«

»Was?«

»Ich hab' ein sehr schönes gesehen, das können wir auf Abzahlung kriegen.«

»Aber Tjeerd, meine Eltern hatten schon so viele Ausgaben. Ich kann sie nicht darum bitten. Wirklich nicht.«

»Wir können es doch selber verdienen.«

»Selber verdienen? Wie soll ich denn das machen?«

»Wir übernehmen zusammen einen Bezirk zum Zeitungsaustragen. Bevor ich herkam, hab' ich rumtelefoniert. ›Het Parool‹ kann noch Zusteller gebrauchen. Du wirst sehen, wie schnell die Zeitungen verteilt sind, wenn wir das zusammen auf dem Tandem machen!« In Tjeerds bedächtiger Stimme schwang eine erwartungsvolle Erregung.

Plötzlich begriff Beer, daß er nicht der einzige war, der durch seine Erblindung eine neue Welt betreten hatte. Seine Erblindung hatte auch den stillen, zurückgezogenen Tjeerd aus seiner Einsamkeit herausgelöst und zu menschlichen Abenteuern geführt, von denen er früher nicht geträumt hätte.

Langsam, unaufhaltsam begannen die Gesichter von Vater und Mutter, von Annemiek, Freunden und

Bekannten in Beers Vorstellung zu verblassen. Sie verschwanden in der ungreifbaren Dämmerung, die hinter Beers Augenlidern verborgen war. Anfangs machte es ihn traurig, aber er gewöhnte sich daran. Das Äußere der Menschen spielte keine Rolle mehr. Weder langes noch kurzes Haar, weder Kleidung noch Schmuck konnten ihm helfen, die Menschen zu erkennen, denen er begegnete. An die Stelle des Äußeren trat allmählich etwas anderes, das vielleicht ebenso wertvoll sein konnte. Das war nicht in Worten oder Bildern auszudrücken, denn es ging um die Seele. Beer wurde sich dessen bewußt, als er mit Tjeerd zum ersten Mal Zeitungen austrug. In irgendeinem Haus hatte Tjeerd den Briefkasten nicht finden können und deshalb einfach geklingelt. Eine wildfremde Frau hatte geöffnet und ein Schwätzchen mit Tjeerd gehalten. In diesen wenigen Minuten hatte Beer sich ein deutliches Bild von ihr ausgemalt.

»Was für ein trauriger Mensch.«

»Wie kommst du denn darauf?« fragte Tjeerd, baß erstaunt.

»Das hör' ich an ihrer Stimme.«

»Aber so traurig kam sie mir nicht vor. Und sie sah sehr hübsch aus.«

»Wetten?«

Und wirklich, am nächsten Tag stellte sich heraus, daß diese Frau ihren Mann verloren hatte und in ihrem einsam gewordenen Leben nicht Fuß fassen konnte.

»Wie kannst du das wissen von jemandem, den du noch nie gesehen hast?«

Beer dachte eine Weile nach, bevor er antwortete: »Seit ich blind bin, ist eine Begegnung mit Menschen wie gute oder schlechte Musik. Musik kann man auch nicht sehen. Aber die Klänge durchdringen einen und rufen vielerlei Gefühle und Gedanken hervor. So ist es bei mir mit den Menschen. Wenn ich sie auch nicht sehe, so nehme ich doch ihre Stimmen wahr, und dann ... dann spüre ich, wie sie sind.«

»War das früher auch so?«

Beer schüttelte den Kopf.

»Wie kommt das?«

»Alles, was du siehst, lenkt dich ab. Schmutzige Fingernägel oder ein ausgefranstes Oberhemd. Oder unruhige Augen. Oder ... oder ein lachender Mund. Bei dieser Frau hast du vielleicht auf ihr hübsches Kleid geschaut oder auf eine antike Uhr im Korridor oder auf was weiß ich. Für mich zählt das alles nicht mehr. Für mich muß die Stimme ausreichen. Und in jeder Stimme steckt immer auch ein Stückchen Seele!«

»Toll«, war alles, was Tjeerd sagte.

Aber es gab noch mehr. Seit er blind war, begann Beer zu entdecken, daß die Menschen viel verwundbarer waren, als er früher geglaubt hatte. Spannte nicht jeder im Alltagsleben eine Art Schirm auf, hinter dem die wahren Gefühle verborgen wurden? Verbarg sich hinter freundlichen, aufgeschlossenen Gesichtern nicht oft eine Welt der Einsamkeit, der Trauer, des Neides oder der Angst?

Früher hatte er das einfach übersehen. Jetzt, wo er blind war, nahm seine Menschenkenntnis zu, und da er nicht Medizin studieren konnte, spielte er ab und zu mit dem Gedanken, Psychologe zu werden – so wie der Student. Ja, vielleicht hatte die Erfahrung des Unglücks wirklich etwas Gutes. Aber sein Mißgeschick hatte auch bittere und höchst dramatische Seiten. Auch das mußte Beer erfahren.

8

Jeder, der heranwächst, muß einen Weg voller Hindernisse zurücklegen – und auch später bleibt es so. Jeder Mensch gerät ab und zu in ein solches Hindernis. Da beginnt dann meist der Kampf gegen das eigene Ich, manchmal auch gegen die unmittelbare Umgebung oder gegen die ganze Welt (die alle die Schuld kriegen) und schließlich auch gegen Gott.

Diese Hindernisse sind einsame Stellen ohne Ausblick. Da kann es einem genauso ergehen wie einem gefangenen Fasan, der am Maschenzaun eines Geheges ratlos hin und her läuft, ohne einen Durchschlupf in die Freiheit zu finden.

Mehrmals geriet auch Beer in solche Hindernisse. Vor allem an Tagen, da die Arbeit nicht vorangehen wollte, geriet Beer in tiefe Verzweiflung. Dann senkte sich die Blindheit unentrinnbar auf ihn nieder: Dann schien das Leben ganz und gar aussichtslos.

»Verdammt, verdammt, verdammt!« konnte er schreien, wenn er unter Mutters Anleitung Schreibmaschine schrieb und nicht die richtigen Tasten fand – und sich so sehr wünschte, die Buchstaben, sei es auch nur ganz kurz, in Wirklichkeit zu sehen.

Doch letztlich war es so, daß ihn in Zeiten solcher Depressionen nicht nur die eigene Blindheit, sondern die ganze in Kampf und Armut verwickelte Welt bedrückte. In diesem Zustand stieß er gegen Möbel, stolperte über Türschwellen, und seine Finger entzifferten keinen einzigen Buchstaben. Innerlich fluchend, ohne voranzukommen, arbeitete er sich durch solche verzweifelten Tage hindurch. Dann schienen aufs neue die Worte zu gelten, die er zu Schwester Wil gesagt hatte: »Mein Leben, mein ganzes Leben ist verpfuscht!«

Aber wie die meisten Menschen verfügte auch Beer über einen zähen Mut. Immer wieder fand er die Kraft, sich aus der Verzweiflung herauszuarbeiten, und dann merkte er: Je mehr er sich entkrampfte, je natürlicher er sein Schicksal annahm, desto besser konnte er in Gedanken die ihn umgebende Welt sehen.

»Ich lebe von einem Hindernis zum anderen«, hatte er eines Abends zu seinem Vater gesagt. Reichlich eine Stunde hatten sie zusammen an der Schreibmaschine gesessen, und er hatte nichts zustande gebracht.

»Das ist klar«, hatte Vater geantwortet. »Aber du wirst sehen, die Hindernisse werden immer leichter.«

Zwei Tage später stürzte Beer in einen so tiefen Abgrund, daß er sich verzweifelt fragte, ob es überhaupt noch einen Sinn habe, weiterzuleben.

»Huh?«

Beer wurde wach und richtete sich auf. Er wunderte sich, daß die Gardinen und Fensterscheiben sich nicht abhoben gegen das Licht der Straßenlaterne. Dann wußte er es wieder: blind!

Er hatte wieder von den Schlangen geträumt, wie es schon öfter geschehen war, wenn er das Gefühl hatte, daß das Leben ihn zu kurz kommen ließ. Und aus diesem Angsttraum erwacht, fühlte Beer sich niedergeschlagener und verlassener als je zuvor.

Die Geräusche verrieten ihm, daß es noch Nacht sein mußte. Die Treppe knarrte, wie man es am Tage nie hören konnte, und auf der Straße war kein Verkehr. War es ein Uhr? Oder ging die Sonne schon auf?

Um die schwüle Beklemmung des Traums von sich

abzuschütteln, schlug Beer die Decke zurück und setzte die Füße auf den Fußboden. Im Traum war er den schwarzen, sich windenden Schlangen immer entkommen. Nun schien es, als hätte eine dieser Bestien ihn doch gepackt und sich um seinen Hals gewunden.

»O Gott!«

Erbittert schlug er die Hände an die Stirn, und es schien, als wolle er die Dunkelheit vor seinen Augen fortrücken. Er wußte sich keinen Rat. Er stand auf und ging vorsichtig zum Waschbecken, um die brütende Angst mit kaltem Wasser von seinem Gesicht zu spülen. Seine Hände fanden den Stuhl und berührten dann die Zimmertür, die halb geöffnet war. Erst jetzt hörte er aus dem Schlafzimmer die undeutlichen Stimmen von Vater und Mutter. War es doch schon Morgen? Oder hatte die Nacht erst begonnen?

»Geh lauschen!« sagte eine zwingende, innere Stimme.

Warum lauschen?

Weil ein nächtliches Gespräch zwischen Vater und Mutter wichtig sein mußte. Weil es keinen Zweifel gab, daß es um seine Blindheit ging.

Auf Zehen schlich Beer den Korridor entlang. Es war nicht seine Art, den Lauscher an der Tür zu spielen, aber die Blindheit hatte ihn doch ein bißchen mißtrauisch gemacht. Er suchte nach Gewißheit, weil so vieles in ihm noch schwankend und unsicher war.

Trotz der geschlossenen Tür konnte Beer die Stimmen von Vater und Mutter verstehen. Sie klangen manchmal erregt und manchmal zerbrechlich wie dünnes Kristall.

»Ich begreife das nicht. Der Direktor ist doch ein so netter Mann.« Mutters Stimme, erregt und heftig.

»Ja, das stimmt. Und im Lehrerkollegium haben sie ehrlich nach Möglichkeiten für Beer gesucht. Aber das Ergebnis war negativ.« Das war Vaters Stimme, niedergeschlagen und unsicher.

Beer sah Vater und Mutter vor sich: Sie saßen im Bett. Und natürlich steckten sie eine Zigarette an der anderen an.

»Und was nun?«

»Ich hab' dir schon gesagt, daß der Direktor eine Blindenanstalt für die beste Lösung hielt.«

»Nein, nie.«

»Aber wenn sie das aufrichtig glauben? Sie haben doch mehr Erfahrung als wir.«

»Nur über meine Leiche.«

Entsetzt suchte Beer am Treppengeländer Halt. Seine Beine zitterten vor Erregung. Nachdem er wochenlang die Blindenschrift geochst und sich mit der Schreibmaschine herumgequält hatte, nach all der mühseligen Arbeit mit Tjeerd waren die Worte aus dem Schlafzimmer wie Dolchstöße in den Rücken.

»Vielleicht gibt es wirklich keine bessere Lösung«, murmelte Vater, und seine Stimme klang müde. »Ich hab' geredet wie ein Wasserfall. Ich hab' gebettelt und gefleht, ich hab' gesagt, daß wir hundertprozentig hinter Beers Arbeit stehen werden.«

»Diese Unmenschen!«

»Das darfst du nicht sagen. Wir können die Probleme noch nicht übersehen.«

»Aber wir haben Beer doch versprochen...«

Es wurde still, dann hörte Beer seine Mutter weinen.

»Hier, nimm das Taschentuch. Hör auf. Mit Weinen kommen wir keinen Schritt weiter.« Vaters tröstende Stimme.

»Wie kommen wir denn weiter?«

»Nicht, wenn wir den Mut verlieren. Ich ... ich hab' vor, morgen oder übermorgen zur Blindenanstalt zu fahren. Einfach mal bei Fachleuten erkundigen.«

»Nein, nein, das nicht!« sagte Mutter, noch halb schluchzend. »Verflixt noch mal, wir brauchen uns doch nicht dem Direktor zu fügen?«

»Was hast du denn vor?«

»Ich könnte den Schulrat aufsuchen. Ich kann Unterschriften von den Eltern der Kinder in Beers Klasse sammeln.«

»Unterschriften?« fragte Vater verwundert.

»Daß sie gegen einen Blinden in der Klasse nichts einzuwenden haben.«

»Wieso denn ›einzuwenden‹?«

»Weil es besondere Anforderungen an die Klasse stellt. Durch Beers Anwesenheit könnte der Unterricht aufgehalten werden.«

Wieder war es still. Ein Feuerzeug wurde angeknipst. Mutter schluchzte noch einmal. Jetzt starrten sie beide vor sich hin und überlegten, was für ihren Sohn das Beste wäre.

Beer hatte Mühe, nicht laut aufzuschreien. Zu allem übrigen hatte nun auch sein Stolz einen tüchtigen Knacks gekriegt. Unterschriften sammeln! Lieber würde er sich die rechte Hand absägen als das zu tun.

Mutters Stimme: »Müssen wir ihm sagen, was der Direktor gesagt hat?«

Beer hielt den Atem an. Hing es nicht von der Antwort ab, ob er seinen Eltern fortan noch vertrauen konnte?

»Ich glaube, ja«, sagte Vater leise.

»Vielleicht ist es besser, noch zu warten«, gab Mutter zu bedenken. »Er hat jetzt allzu viel zu verarbeiten.«

Wieder eine bleischwere Stille.

»Wenn wir nichts sagen, wird der Schlag nur um so größer.«

»Es wird ihn sehr traurig machen.« Es war durch die Tür zu hören, daß Mutters Stimme zitterte.

»Uns noch mehr«, murmelte Vater.

Das Bett knarrte. Das Feuerzeug wurde angeknipst. Ein Seufzer.

Dann Mutters Stimme, die wie ein Grashalm im Wind zitterte: »Thijs, kann die Schule Beer wirklich ablehnen?«

»Ich fürchte, ja.«

»Aber wir müssen weiterkämpfen. Notfalls bis zum Minister.«

»Vielleicht«, sagte Vater vorsichtig, »vielleicht.«

Und wieder die Stille, Vater und Mutter saßen im Bett und rauchten, die ungewisse Zukunft ihres Kindes wie ein Gespenst zwischen sich.

Beer drehte sich um. Er hatte genug gehört. Er wollte in sein Zimmer zurück, denn seine Verwirrung war groß. Das Gespräch zwischen Vater und Mutter lähmte ihn fast. Noch nie hatte er den Kummer und die Sorge seiner Eltern so stark gespürt. Warum war dieser verfluchte Unfall nicht ein paar Jahre später passiert?

Er wollte in sein Bett zurück, aber in seiner Erregung verlor er jede Orientierung. Er stolperte vor seinem Zimmer über den Wäschekorb und fiel hin.

»Verdammt noch mal!« Wütend entfuhr ihm dieser Fluch. Er lauschte. Ja, natürlich. Vater und Mutter hatten ihn gehört. Sie sprangen aus dem Bett. Nackte Füße auf dem Linoleum. Die Schlafzimmertür ging auf.

»Beer!« Mutters Stimme, ängstlich und unruhig.

Vater ergriff seinen Arm und half ihm auf. »Ist was passiert?«

»Ich... ich wollte zur Toilette.« Eine schnell erdachte Ausrede, aber etwas anderes fiel ihm nicht ein.

»Komm.« Jetzt nahm ihn Mutter beim Arm.

»Wie spät ist es?«

»Kurz nach halb zwei.«

»Habt ihr denn noch nicht geschlafen?«

Eine scheinbar nebensächliche Frage, doch von Beer mißtrauisch gestellt, um seine Eltern zu testen. In den Abgründen des Lebens ist wenig Platz für blindes Vertrauen.

»Nein, wir waren noch wach.«

»So spät noch?«

»Ja.«

Vaters Stimme klang gleichmütig, aber Beer war sicher, daß er jetzt zu Mutter hinsah.

»Wir hatten noch einiges zu besprechen.«

»Über mich?«

»Ja, auch über dich.«

»Komm«, sagte Mutter, »es ist schon spät.«

Beer ließ sich willig zur Toilette führen. Obwohl er gar nicht auf die Toilette mußte, betätigte er die Spülung. Es kam ihm vor, als würde er von dem Wasser mit in die Tiefe gerissen. Das hatte er noch nie empfunden. Die Abgründe des Lebens gleichen wohl in mancherlei Hinsicht einer dunklen, mit Dreck gefüllten Grube.

Dunkelheit und Stille der Nacht. Beer lag auf dem Rücken. Der Schlaf wollte nicht kommen. Er mußte immer wieder an seine Eltern denken, die ihm die Wahrheit nicht gesagt hatten. Er fischte im trüben Wasser der Grube und förderte die düstersten Bilder zutage.

Nicht in seine alte Schule zurück? Wie ungerecht das war. Hatte er nicht zu den besten Schülern seiner Klasse gehört? Vielleicht, vielleicht gab es doch noch eine Chance, wenn sie darum kämpften und mit dem Schulrat sprachen. Ob sie wirklich Unterschriften bei den Eltern seiner Mitschüler sammeln mußten, zum Beispiel bei den Eltern dieser dämlichen Mientje oder dieser Flasche Paul Jan, der sich nur mit Spicken über Wasser hielt? Lieber wollte er sterben. Warum, warum hatte dieser Gärtner seine Forke nicht auf dem Misthaufen steckengelassen? Wütend dachte Beer an sein mißglücktes Leben und an das Durcheinander, das die ganze Welt zu erfüllen schien. Er wälzte sich von einer Seite auf die andere, und Schreckensbilder suchten ihn heim. Und genau wie vor der schwarzen sich windenden Schlange konnte er sein Inneres nicht davor verschließen.

Es wurde eine verzweifelt lange, dunkle Nacht für Beer. Er hatte das Gefühl, seine ganze Existenz liege in Scherben und es fehle ihm diesmal an Kraft, die Scherben zusammenzufegen. »Wäre ich doch tot«, durchfuhr es ihn. »Dann wäre ich alles los. Und Vater und Mutter auch.«

Er war noch zu jung, um zu begreifen, daß der Weg zu den Sternen immer durch die Dunkelheit führen muß.

Erst als ein neuer Frühlingstag mit laut zwitschernden Vögeln und dem Geratter eines frühen Güterzuges in der Ferne sich ankündigte, fiel Beer endlich in Schlaf.

»Hast du noch geschlafen?« Von ferne Mutters Stimme. Es dauerte eine Weile, ehe Beer die Wegstrecke vom Traum zur Wirklichkeit zurückgelegt hatte. Aber ein Gefühl der Befreiung stellte sich nicht ein.

»Ich hab' dein Frühstück mitgebracht!«

Beer richtete sich etwas auf.

»Hier ist dein Tee.«

Beer nahm den Becher, trank einen Schluck.

»Wie spät ist es?«

»Ungefähr Viertel nach neun.«

»So spät schon?«

»Ich habe dich schlafen lassen nach dieser Nacht.« Mutters Stimme klang vorsichtig, behutsam.

»Ihr seid auch spät schlafen gegangen.«

»Ja«, sagte Mutter.

»War was?«

Mutter zögerte. Nur ganz kurz. Dann stellte sie den Teller mit den Schnitten auf den kleinen Tisch neben dem Bett. Wußte sie, wie wichtig ihre Antwort sein würde?

»Ja, Beer, es war was.«

»Was denn?«

»Vater war gestern beim Direktor.«

»Und...?«

Beer haßte sich wegen dieser Frage, da er die Antwort schon wußte. Warum war es so wichtig zu wissen, ob Mutter ihm die Wahrheit sagen oder ihn schonen würde? Mußte denn ein zerstörtes Vertrauen wiederhergestellt werden?

»Und...?« drängte er.

Sie holte hörbar Atem – wie jemand, der eine schwierige Geschichte erzählen muß und nicht recht weiß, wie er anfangen soll.

Genau in diesem Moment klingelte es an der Haustür. Mutter sprang auf: wie ein Boxer, den der Gong rettet, dachte Beer.

»Wer kann denn das sein«, murmelte sie, als sie eilig aus dem Zimmer lief.

Beer blieb mit seinem Frühstück zurück; er hatte ein Gefühl der Schuld. Warum hatte er es Mutter so unnötig schwergemacht?

Unten ging die Tür auf. Eine Männerstimme war im Korridor zu hören: »Ein Einschreibpäckchen. Unterschreiben Sie bitte hier?«

»Ja.«

»Ein schöner Tag heute, was?«

»Ja, das stimmt.«

Ein schöner Tag! Der Briefträger mußte es ja wissen, dachte Beer mit wachsender Erbitterung. Ob die Sonne schien oder nicht, war ja egal. Nach der langen, schlechten Nacht voller Enttäuschung, voller Hilflosigkeit, voller Ungewißheit blickte er in das schwarze Loch des neuen Tages. Und dennoch: Die Abgründe des Lebens können manchmal in wenigen Minuten überbrückt werden. Das sollte auch der traurige, blinde Beer erleben, als Mutter die Treppe heraufkam.

Sie betrat das Zimmer, und in diesem Augenblick beschloß Beer, sie nicht mehr nach den Worten des Direktors zu fragen. Das würde sie nur unnötig quälen. Und hatte sie nicht schon genug zu tragen?

»Für dich ist ein Päckchen gekommen.«

»Ein Päckchen? Für mich?«

»Ja, ein kleines Päckchen, fühl mal.«

Beer streckte den Arm aus. Das Päckchen paßte in seine Handfläche. Es war mit Bindfaden verschnürt.

»Von wem ist es?«

»Von einer Frau Hielkemann«, sagte die Mutter leicht verwundert.

»Nie gehört.«

»Es ist auch ein Brief dabei.«

»Na, lies vor. Oder ist er vielleicht in Blindenschrift getippt?«

Ein zynischer Scherz, auf den Mutter nicht antwortete. Sie ging zum Waschbecken, nahm die Nagelschere und zerschnitt den Bindfaden. Papiergeraschel. Mutter öffnete den Briefumschlag. Stille. Warf Mutter schnell einen Blick auf Frau Hielkemanns Brief, wer immer das sein mochte?

»Nein.« Mutters Flüsterstimme klang erschrocken, bestürzt, schmerzlich.

»Was ist los?«

»Es ist ein Brief von dem Studenten aus Saal 3«, sagte Mutter leise, und plötzlich überlief es Beer kalt.

»Von ihm?«

Mutter schluckte. »Ich werde ihn vorlesen«, sagte sie und setzte sich auf den Bettrand.

Lieber Beer,

schon dreimal habe ich angefangen, Dir zu schreiben, und jedesmal wurde der Brief so lang, daß die Worte ihre Bedeutung verloren. Deshalb, zum viertenmal jetzt, ganz kurz.

Wenn du diesen Brief bekommst, bin ich nicht mehr.

Mutter putzte sich entsetzlich laut die Nase. Der Brief lag reglos in ihrer Hand. Ein Gefühl tiefer Wehmut erfüllte Beer. Er schämte sich jetzt seiner Verbitterung und Auflehnung in der vergangenen Nacht. Dann kehrten seine Gedanken zu Saal 3 zurück; zu den Gesprächen mit dem Studenten, der sich als ein treuer Freund erwiesen hatte und nun nicht mehr war.

»O Gott«, flüsterte er bestürzt. Er biß sich auf die Lippen, denn weinen wollte er nicht.

Mutter las mit unsicherer Stimme weiter:

Ich schicke Dir eine alte Uhr, die ich vor ein paar Jahren von meinem Großvater bekommen habe. Sie schlägt zu jeder halben und vollen Stunde, so daß du immer hören kannst, wie spät es ist.

Beer zitterte, denn in Gedanken stieg nun ganz deutlich das Bild des Studenten vor ihm auf – obwohl er ihn nie leibhaftig gesehen hatte. Und ihm war plötzlich klar, daß er diesen Freund nie vergessen würde. Ja, ein Teil von dem Studenten würde in ihm fortleben, wie er es damals in Saal 3 gewünscht hatte.

Beer, im Studium habe ich gelernt, daß blinde Menschen manchmal mißtrauisch sind. Das ergibt sich fast von selbst aus der Tatsache, daß sie nicht sehen können. Ich wünsche inständig, daß Du dem Leben immer voller Vertrauen begegnest. Nichts wirkt so erstickend wie Mißtrauen.

Behalt das Leben lieb, auch wenn es Dich enttäuscht, und mach was daraus.

Die letzten Worte verklangen in der Morgensonne, die durchs Fenster ins Zimmer fiel. Mutter öffnete das Päckchen.

»Es ... es ist eine goldene Uhr. Junge, so eine dicke, runde, altmodische Zwiebel!« Vorsichtig legte sie die Uhr in Beers Hand.

Und da konnte Beer nicht länger an sich halten. Er wollte nicht weinen, aber zu viele Gefühle wühlten ihn auf. Es würgte ihn, daß er fast erstickte, und schließlich brach es los. »Mutter!«

Er weinte so heftig und hemmungslos, als bräche der Kummer von Wochen nun plötzlich aus ihm hervor. Er weinte wegen des Studenten. Wegen des Briefes. Wegen der ganzen Welt, die hinter diesem Brief steckte und so voller Traurigkeit war.

Und auf einmal rief er schluchzend: »Ich weiß, was der Direktor gesagt hat. Das macht jetzt auch nichts mehr!«

Mutter legte den Arm um seine Schulter. So saßen sie, bis Beer sich wieder beruhigt hatte.

»Wir schaffen es schon, mein Junge.«

Beer nickte und machte sich von Mutter los. Er dachte an den Studenten und wußte genau, was er mit seinem Brief gemeint hatte.

An einem stillen Nachmittag im Krankenhaus hatte er ungefähr dasselbe gesagt: »Beer, trotz deiner Blindheit gehörst du noch immer zur bevorrechteten Jugend. Denn die Hälfte deiner Alterskameraden in vielen Teilen der Welt ist noch viel schlechter dran als du. Denk ab und zu daran und behalte das Leben trotz allem lieb, auch wenn es manchmal schlechter ausfällt, als man erwartet.«

Beer stand auf und ging zum Fenster.

»Tut mir leid, daß ich mich so hab' gehenlassen«, sagte er. Und dann, etwas sicherer: »Das passiert mir nicht mehr.« Mit hohem, hellem Ton schlug die goldene Uhr halb zehn.

9

Erst später, viel später, erkannte Beer, daß der Brief des Studenten eine große Veränderung bewirkt hatte. Der Brief und die Uhr hatten dem Selbstmitleid Beers ein Ende gemacht. Jeder Mensch hatte wohl seine Last zu tragen. War es da nicht kurzsichtig, sich nur mit den eigenen Problemen zu beschäftigen?

Und noch viel später begriff Beer, daß er mit diesem Brief eine Schwelle überschritten hatte. Von diesem Augenblick an trat er dem Leben stärker und bewußter entgegen: nicht länger als Behinderter, auf den jedermann Rücksicht nehmen mußte, sondern als ganz normaler Mensch, der sich nicht in die Ecke stellen ließ.

Natürlich mußte er sich manchmal gegen die Außenwelt wehren, die ihn nur zu oft »bedauernswert« fand. Das wurde ihm noch am gleichen Tag klar, als Frau De Reus ihn in einem mitleidigen Ton anredete: »Ach Beer, du, wie geht's denn jetzt? Ich finde es schrecklich für dich, daß du blind bist. Furchtbar!«

Was sollte man darauf antworten? »Ich bin lieber blind als dumm«, hatte Beer geantwortet, obgleich das auch nicht gerade nett klang.

Allmählich lernte er es, mit einem Scherz zu antworten: »Ich lebe in blindem Vertrauen. Das kann nicht jeder.«

Beer begriff schon, daß Blindheit für die anderen etwas Beängstigendes war. Daß sie ihn manchmal mitleiderregend fanden, hörte er aus ihren Stimmen. Dann sagte er, um sie zu beruhigen: »Ja, es ist schlimm. Aber man kann ganz gut damit leben. Und weißt du auch, daß ich umsonst reisen kann? Überallhin?«

»Wirklich? Ist das wahr?« fragten sie dann erstaunt.

»Ja, als blinder Passagier.«

Waren es auch nicht gerade tolle Witze, so lösten sie doch oft die Spannung. Mit ein bißchen Humor und Selbstironie konnte Beer zumindest zeigen, daß er seine Blindheit auf sich nahm.

Natürlich gab es auch Augenblicke, in denen Pessimismus die Oberhand gewann. Glücklicherweise schlug dann jede halbe Stunde die Uhr des Studenten. »Mach was draus!« hieß das, und Beer richtete sich meist von selbst wieder auf. So kämpfte er mit sich selber und lernte es, die Blindheit im Auf und Ab seines Lebens zu bewältigen.

Leider nahmen die Sorgen der Eltern immer mehr zu. Ihre Verwirrung wegen des erblindeten Sohnes wurde von Tag zu Tag größer. Auch das lag zum Teil an den Menschen ihrer Umgebung.

»Wie kommt ihr dazu, auch nur an eine Blindenanstalt zu denken«, rief Oma empört aus. Sie war zum Essen gekommen. Nach Tisch, als Beer und Annemiek nach oben gegangen waren, hatte sie die Zukunft ihres Enkels zur Sprache gebracht.

»Der Junge gehört hierher. Zu euch! Was er jetzt vor allem braucht, ist die Wärme dieses Hauses und eure elterliche Fürsorge.« Beinahe böse ließ Oma ihr Strickzeug sinken.

»Das ist auch meine Meinung«, sagte Mutter. »Aber...«

»Nix aber«, schloß Oma. Sie nahm ihr Strickzeug wieder auf, als wäre die Sache damit erledigt.

»So einfach ist das nicht«, antwortete Vater gereizt. »Es gibt Probleme, Mutter, die du gar nicht übersiehst.«

»Was denn für Probleme?«

Vater seufzte. Natürlich meinte Oma es gut mit Beer.

»Nimm nur die Blindenschrift«, sagte er müde. »Wir haben Anleitungen studiert. Wir haben allerlei Lehrmaterial und sogar eine teure Blindenschreibmaschine angeschafft. Aber wir sind Laien. Wir pfuschen und stümpern nur herum. Und es ist sehr die Frage, ob das alles überhaupt einen Sinn hat.«

»Beer spürt hier eure Liebe und hat das Gefühl der Sicherheit.«

»Darum geht es doch gar nicht«, rief Vater ungeduldig. »Es geht darum, daß Beer die Blindenschrift lernt. Und daß ihm in seiner Arbeit so gezielt wie möglich geholfen wird!«

»Da ist er bei euch in den besten Händen«, meinte Oma aufrichtig.

Vater schüttelte den Kopf. Er wollte wieder aufbrausen, hielt sich aber zurück. War er vor einigen Wochen nicht genauso kurzsichtig wie seine Mutter gewesen? Er versuchte es anders: »Weißt du, welchen Umfang ein Roman in Blindenschrift hat?«

»Nein.«

»So an die dreißig dicke Bände. Nun nimm mal an, daß Beer später ein Lexikon braucht. In Blindenschrift – da würden alle Bände nicht mal in dieses Zimmer passen.«

Jetzt sagte Oma nichts. Verwirrung sprach aus ihrem Gesicht. Zum ersten Mal sah sie etwas von der Kluft, die ihr Sohn und ihre Schwiegertochter überbrücken mußten.

»Weißt du«, sagte Mutter, und es war zu merken, wie ernst sie die Sache nahm, »es ist nicht so einfach, wie du denkst. Zuerst meinte ich auch: Beer bleibt zu Hause. Wir werden es schon schaffen. Aber es gibt so viele Probleme, die Thijs und ich nicht übersehen. Ich... ich weiß nicht mehr, ob ich Beer wegen seiner Blindheit zu sehr behüte und verwöhne, oder ob ich nicht viel zuviel von ihm verlange. Dinge, die früher ganz selbstverständlich waren, sind es jetzt nicht mehr. Alles, auch die Erziehung, ist ganz anders geworden.«

»Aber Kind.« Oma war über den Gefühlsausbruch erschrocken.

»Es ist so. Es ist so!« rief Mutter mit sich beinahe überschlagender Stimme. »Du behandelst Beer jetzt auch ganz anders als früher. Das alte Verhältnis ist gestört. Dadurch verlieren Thijs und ich unser Selbstvertrauen. Manchmal weiß ich einfach nicht weiter.« Mutter brach plötzlich in Schluchzen aus.

Zu allem Überfluß kam jetzt auch noch Beer ins Zimmer. Er hörte das Schluchzen.

»Was ist los?« fragte er gleich. »Warum weint Mutter? Habt ihr euch gestritten?«

»Nun, äh, siehst du...« Oma verlor sich in einer ausweichenden Antwort.

»Ja«, sagte Vater schnell. »Ja, wir hatten ein bißchen Streit, und ich habe etwas gesagt, was nicht sehr nett war.«

Beer hörte, wie Vater aufstand und zu Mutter ging. »Tut mir leid«, sagte er in tröstendem Ton. »Beruhige dich doch. Ich hab's wirklich nicht so gemeint.«

Oma biß sich auf die Lippen. Sie verstand, warum Beers Vater die Schuld an den Tränen auf sich nahm. War es nicht besser, daß seine Mutter wegen irgendeines Streites weinte als über die Blindheit ihres Sohnes? Betrübt blickte Oma zu ihrem Sohn und zu ihrer Schwiegertochter. Dann sah sie zu Beer, der noch immer totenstill im Zimmer stand, und es schien, als sei sie auf einmal ein Stück älter geworden.

Es ist erstaunlich, wie schnell und unüberlegt manche Menschen eine Meinung oder ein Urteil parat haben. Verschiedene Bekannte von Vater und Mutter – nicht die wirklichen Freunde; die wußten es schon besser – hatten für Beer allerlei Ratschläge auf Lager: »Ich würde ihn zu Hause behalten«, äußerte ein gutmeinender Nachbar von gegenüber. »Warum soll der Junge jetzt in eine Anstalt? Er kann doch das Gymnasium beenden, wenn er eine gute Hilfe bekommt?«

»Und wo sollen wir diese Hilfe herkriegen?« fragte Vater dann.

»Oh, die müßte doch zu finden sein.«

»Und wovon bezahlen wir diese Hilfe?«

»Dafür gibt's doch wohl Fonds?«

Was sollte man mit solch einem Gespräch anfangen? Ein Vetter von Mutter, der mehr oder weniger zufällig vorbeikam, hatte auch gleich seine Meinung zur Hand: »Ich würde ihn wie ein ganz und gar normales Kind behandeln. Das scheint mir das Vernünftigste zu sein.«

»Aber blind sein ist nicht normal«, sagte die Mutter beinahe verzweifelt. »Wir *müssen* ihn eben anders behandeln als ein Kind, das sehen kann. Wir können doch keine Forderungen an ihn stellen, die er unmöglich erfüllen kann!«

»Nun ja, wenn ihr Beer nur nicht zu einem Wrack machen laßt in irgendeiner Anstalt.«

Da war Vater böse geworden. Erregt hatte er sich eine Zigarette angesteckt und in scharfem Ton gefragt: »Glaubst du, daß jedes Kind in einer solchen Einrichtung ein Wrack ist? Und weißt du, wieviel Kinder das in Holland sind?«

»Ein paar hundert?«

»Zwanzigtausend! Zwanzigtausend Kinder, die blind oder taubstumm oder spastisch gelähmt sind. Oder es sind Waisen. Oder die Eltern sind entmündigt. Ja, alles Kinder, die behindert sind. Für die wir bei Sammlungen großherzig Geld geben. Aber wir verstecken sie gut, weil es uns an Barmherzigkeit fehlt, sie voll in unsere Gesellschaft aufzunehmen!«

»Bleib doch ruhig«, beschwichtigte Mutter ihn.

»Und das Schlimmste ist«, fuhr Vater fort, »daß ich bis vor kurzem nie darüber nachgedacht habe.«

»Ich ... ich versteh' schon, was du meinst«, murmelte der Vetter betreten.

»Entschuldige, daß ich mich aufgeregt habe.« Vater war über seinen Ausbruch selbst erschrocken. Hatte er die Situation nicht mehr in der Hand? War er von den widerstreitenden Ansichten der Freunde und Bekannten durcheinander?

Als er am Abend im Bett lag und die Nachttischlampe angeknipst hatte, nahm Mutter seine Hand: »Thijs«, sagte sie mit brüchiger Stimme, »willst du morgen in der Blindenanstalt einen Termin für uns vereinbaren?«

»Ja«, antwortete Vater leise.

»Vielleicht hat mir anfangs der Mut gefehlt, alles so

zu sehen, wie es ist. Ich ... ich brauchte Zeit, um die Wirklichkeit zu akzeptieren. Jetzt bin ich soweit, und ich will mich dem fügen, was die Fachleute für das Beste halten.«

Da nahm Vater sie schützend in seine Arme.

Beer ging die Treppe hinunter. Im Korridor blieb er stehen. Er lauschte kurz, ob er irgendwelche Geräusche wahrnehmen konnte. Es war totenstill im Haus.

»Oma?«

Gepolter im Wohnzimmer. Ein Stuhl wurde fortgeschoben. Hastig kam Oma in den Korridor.

»Ja, Beer?«

»Um wieviel Uhr kommt Mutter nach Hause?«

»Auf jeden Fall vor dem Essen. Ist irgendwas?«

»Ich komme mit meiner Arbeit nicht weiter.«

»Kann ich was für dich tun?«

»Nein, nein, danke.« Beer schüttelte den Kopf. Wenn Oma ihm bei der Blindenschrift helfen würde, käme er vom Regen in die Traufe.

»Wohin ist Mutter gegangen?«

»Äh ... mit Vater zum ... äh ... zu einem Empfang. Jemand vom Büro feiert ein Jubiläum«, antwortete Oma unsicher. Diese Notlüge erschien ihr besser, als von der Blindenanstalt zu sprechen.

»Wo ist der Empfang?«

»Äh ... ich glaube, irgendwo in Bussum.«

»Bussum?« fragte Beer verwundert.

»Es kann auch irgendwo anders sein«, besann sich Oma und gab dem Gespräch eilig, allzu eilig eine andere Richtung. »Soll ich schnell eine Tasse Tee machen? Oder ist es dir noch zu früh?«

»Ich mach' erst noch einen kleinen Spaziergang.«

»Allein?« fragte Oma unruhig.
»Das mach' ich oft.«
»Soll ich nicht lieber mitgehen?«
»Nein, Oma, das brauchst du nicht.«
»Bist du auch vorsichtig?«
»Ja«, sagte Beer seufzend und nahm seinen Stock.

Oma wollte ihm nachgehen, überlegte aber noch, daß Annemiek bald von der Schule zurückkommen würde. Besorgt schaute sie ihrem Enkel nach.

Bussum! Dieser Name wollte Beer nicht aus dem Kopf. Vielleicht, weil Oma so unschlüssig geantwortet hatte. Vielleicht auch, weil er noch nie etwas von jemandem in Bussum gehört hatte.

Beer saß auf der Bank im Park und hatte das unklare Gefühl, daß da in Bussum etwas vor sich ging, und intuitiv wußte er, daß es etwas mit ihm zu tun hatte.

Bussum! Er war schon zweimal in seinem Leben dort gewesen. Das erste Mal zu einem Freundschaftsspiel gegen die Mannschaft vom BFC. Das letzte Mal zu einem Jugendturnier vom SDO. Auf dem Wege zum SDO waren sie mit Omnibussen über die Reichsstraße nach Bussum gefahren. Und damals hatte Dikkie gesagt: »Seht ihr dort das große Gebäude?«

Über weitgestreckte Wiesen hinweg und zwischen alten Bäumen hatte Beer einen Gebäudekomplex gesehen.

»Das ist die Blindenanstalt«, hatte Dikkie gesagt, und da waren sie auch schon vorbei.

»O Gott«, flüsterte Beer entsetzt. Alle seine unklaren Gefühle fügten sich jetzt wie die Teile eines Puzzlespiels zusammen. Plötzlich begriff er, was vor sich ging. Natürlich! Es gab keinen Zweifel mehr, Vater und Mutter waren zur Blindenanstalt gefahren.

Der Stock fiel ihm aus der Hand. Er merkte es nicht. Seine ganze Welt war zusammengestürzt. Es gab nur noch Dunkelheit, Verwirrung und ein Chaos von Gefühlen, in dem er sich nicht mehr zurechtfand. Wurde nun Wirklichkeit, was er so lange gefürchtet hatte? Er wußte nicht mehr aus noch ein.

Die Uhr des Studenten schlug in diesem Moment drei. In einer Anwandlung von Ratlosigkeit hatte Beer sie wegwerfen wollen. Doch diese drei hellen Schläge brachten Beer zur Besinnung.

In eine Blindenanstalt. Vielleicht war es für seine Zukunft das Beste! Vater und Mutter hatten sich bestimmt nicht von einem Tag auf den anderen dazu entschlossen. Vater und Mutter. Beer begriff nur allzugut, wie schwierig dieser Schritt für sie gewesen sein mußte. In Gedanken sah er sie beide, auf dem Wege zum Direktor, durch den großen Park gehen.

»Wir sind pünktlich«, sagte Vater. »Es ist genau drei.«

Mutter reagierte nicht. Sie blickte zu dem großen Parkplatz jenseits des Zaunes; zu den sorgfältig gepflegten Blumenschalen am Eingang der Anstalt; auf den schimmernden Park, der sich in Licht und Schatten unter den hohen Bäumen ausbreitete. Das alles würde Beer nie sehen, wenn ... wenn er hier aufgenommen werden sollte. Mutter suchte an Vaters Arm ein bißchen Halt und Stütze.

Sie meldeten sich am Schalter des Portiers: »Wir sind beim Direktor angemeldet. Ligthart ist unser Name.«

»Ich zeig' Ihnen den Weg.«

Vater hatte einen blinden Portier erwartet, aber es

kam eine ältere Frau heraus und begleitete sie ein Stück.

»Sie gehen zwischen diesen Häusern durch. Dann über den Spielplatz. Rechts in der Ecke ist eine Tür. Da müssen sie hin.«

Jetzt war es Vater, der Mutters Arm nahm. Er fühlte sich aufgeregt und nervös. Die nächste Stunde sollte über Beers Zukunft entscheiden. Aber stand nicht auch ein Teil ihres eigenen Lebens auf dem Spiel?

»Sieh doch«, flüsterte Mutter und verlangsamte ihre Schritte. Einige Kinder fuhren vor dem Hauptgebäude Rollschuhe. Ein junger Betreuer stand auf der Seite und paßte auf. Von rechts kamen zwei ungefähr sechzehnjährige Jungen den Weg entlang. Der erste Junge trug eine dicke Brille. Der andere Junge ging hinter ihm und hatte seine Hand auf dessen Schulter gelegt; auf diese Weise ließ er sich zur Tür eines Nebengebäudes führen. Bald würde wohl Beer hier entlanglaufen, geführt von einem anderen Jungen, der noch ein bißchen sehen konnte. Mutter drückte Vaters Arm etwas fester an sich.

Der Spielplatz. Sie gingen an einem Klassenzimmer vorüber, in dem ein Lehrer mit drei Kindern arbeitete. Mutters Blick fiel wie von selbst auf die Finger, die über die Seiten mit der Blindenschrift glitten: zuerst die Finger der linken Hand; dann übernahmen die Finger der rechten Hand das Lesen – immer vorausfühlend, was im Text folgte. So weit war sie mit Beer noch lange nicht.

Sie fanden die Tür und traten ein. Kurze Zeit später standen sie vor dem Direktor, einem Mann mit einem fröhlichen Gesicht. ›Gott sei Dank‹, dachte Mutter. Sie fand ihn gleich sympathisch. Er hatte ruhige, verständnisvolle Augen.

»Nehmen Sie Platz.«

»Danke.«

»Wir kommen wegen unseres Sohnes Beer«, sagte Vater, und dann folgte Stück für Stück die ganze Geschichte.

Es war Viertel nach vier. Vater und Mutter hatten viele Fragen gestellt, und der Direktor hatte alle Fragen geduldig beantwortet. Er hatte über die Anstalt und über den Unterricht für Blinde gesprochen: »Wir haben hier ungefähr 120 Kinder. Manche sind Externe. Sie schlafen und frühstücken zu Hause, weil die Eltern ihretwegen eine Wohnung in der Nähe unserer Anstalt genommen haben. Die meisten Kinder sind allerdings Interne. Sie fahren nur an den Wochenenden oder in den Ferien nach Hause.«

Vater hatte nach den verschiedenen Ausbildungsmöglichkeiten gefragt. Es gab eine Grundschule, eine Hauptschule, eine Ausbildungsstätte für Telefonisten und eine Haushaltsabteilung, in der blinde Mädchen kochen, handarbeiten und nähen lernten. Es gab auch eine Realschule.

»Und es fängt natürlich immer mit dem Kindergarten an«, hatte der Direktor gesagt.

»Kommen die Kinder schon so jung hierher?« Mutter mußte an die kleinen blinden Knirpse von vier oder fünf Jahren denken. Wie mußte einem zumute sein, wenn man so kleine Kinder aus dem Elternhaus fort und in eine Blindenanstalt brachte.

»Je früher man mit dem Blindenunterricht anfängt, desto besser. Wissen Sie, wie lange es dauert, ehe man in Blindenschrift wirklich lesen, schreiben und rechnen kann?«

»Nein, nicht genau.«

»Mindestens drei Jahre. Und Sie zum Beispiel sind eigentlich schon zu alt, um es noch richtig zu lernen.«

Zu Vaters Erleichterung besuchten Kinder der Anstalt normale Oberschulen in Bussum. Nicht nur alle Lehrbücher, sondern auch Abzüge, die die Lehrer oft unerwartet für die Hausaufgaben oder für Wiederholungen austeilten, wurden von der eigenen Druckerei in Blindenschrift gedruckt.

»Aber wie ist es mit Mathematik und Physik?« In den vergangenen Wochen hatte sich Mutter oft gefragt, wie ein blindes Kind das je lernen konnte.

»Reliefzeichnungen«, hatte der Direktor erklärt. »Man macht das mit einem Rädchen auf Blindenschriftpapier, das auf ein Stück Gaze gelegt wird. Natürlich muß es spiegelbildlich gemacht werden, damit die Reliefzeichnungen auf der erhabenen Seite des Papiers in der richtigen Form erscheint.«

»Wie ist das möglich«, murmelte Mutter, die in Mathematik nie besonders gut gewesen war.

»Es geht sehr gut. Einer unserer Schüler hat vorige Woche sein Abschlußexamen in Mathematik und Physik an der Universität Amsterdam bestanden.« Zu Recht klangen Stolz und Genugtuung in der Stimme des Direktors. Wer konnte ermessen, welche Schwierigkeiten bis zu diesem Abschlußexamen überwunden werden mußten? Offenbar konnten begabte Blinde jedes beliebige Studienfach wählen, zum Beispiel Sprachen, Jura, Geschichte, Psychologie. Schritt um Schritt gewannen Vater und Mutter Einsicht in die zahllosen Probleme, die bei der Erziehung blinder Kinder gelöst werden mußten. Viel Aufmerksamkeit wurde der Stärkung ihrer Willenskraft, ihres

Selbstvertrauens, ihrer Ausdauer und ihres Mutes geschenkt.

»Und was machen die Kinder in ihrer Freizeit?«

»Wir haben hier mehrere Hobbyklubs. Und natürlich Spiele wie Monopoly und Mensch ärgere dich nicht, alles in Blindendruck.«

»Auch Sport?« Eine Frage von Vater, der wußte, daß dies für Beer sehr wichtig war.

»Ja, auch Sport. Judo, Reiten, Schwimmen, Gymnastik, Wandball.«

»Wandball? Was ist das?«

»Das wird in der Halle gespielt. Drei gegen drei: Man muß mit einem Ball die gegenüberliegende Wand erreichen, während die Gegenpartei es zu verhindern sucht. Im Ball ist eine Klingel. Die Spieler können also hören, wie der Ball rollt. Es wird gern gespielt und ist eine ausgezeichnete Form des Gehörtrainings.«

Wieder etwas, dachte Mutter, woran man sieht, was alles mit der Erziehung eines blinden Kindes zusammenhängt. War sie nicht naiv gewesen, als sie annahm, Vater und sie hätten dies alles allein schaffen können?

»Mit anderen Blindenanstalten organisieren wir auch Wettkämpfe. Manchmal gehen wir dazu nach Deutschland, Schweden oder England.«

Vater und Mutter sahen sich an. Beide waren sich nun darüber klar, daß es für Beers Zukunft nur eine Möglichkeit gab.

»Hätten Sie für unseren Sohn Platz?«

Der Direktor nickte.

»Wir hätten ihn so gern zu Hause behalten«, sagte Mutter leise. »Ihn so abzusondern...«

»Ich verstehe genau, was Sie meinen«, sagte der Direktor. Er hatte solche Gespräche schon ziemlich oft geführt. »Eigentlich müßten behinderte Kinder zusammen mit anderen Kindern aufwachsen und nicht isoliert werden. Leider gibt es diese Möglichkeit noch nicht.«

Und dann kam die wichtige Frage, die Mutter immerzu durch den Kopf gegangen war und schon lange auf Vaters Lippen gelegen hatte: »Was halten Sie für besser: wenn ein Kind intern oder extern in der Anstalt ist?«

»Das hängt unter anderem von den Eltern ab«, sagte der Direktor vorsichtig. »Das Verhältnis der Menschen zu Blinden ist gestört. Blindsein ist nicht nur das Problem des Kindes selbst. Auch für die Eltern und Geschwister ist es eine Aufgabe. Viele Eltern verlieren bei der Erziehung ihre natürliche Sicherheit. Es gibt auch zu wenige Sozialarbeiter, die ihnen beistehen und sie begleiten. So werden trotz des guten Willens manchmal doch ernste Fehler gemacht.«

Wieder sahen Vater und Mutter sich an. Beinahe erleichtert. Es war also nicht so verwunderlich, daß sie unsicher geworden waren.

»Kann er, wenigstens vorläufig, intern herkommen?« Vater hatte den Knoten endlich durchgehauen.

»Das geht. Wann hatten Sie gedacht?«

»Wenn es geht, so bald wie möglich«, sagte Mutter, und zum ersten Mal zitterte ihre Stimme.

Eine Viertelstunde später standen sie an der Bushaltestelle; still, jeder in seine eigenen Gedanken versunken und auch ein bißchen durcheinander. Es war in vielerlei Hinsicht ein anstrengender, dramatischer Besuch gewesen. Sie hatten einen Blick in eine Welt getan, die ihnen zuvor ganz und gar unbekannt war. Doch der

Direktor hatte ihnen die Gewißheit und die Hoffnung vermittelt, daß ein blindes Kind, wie jedes andere auch, eine Zukunft hat.

»Unser Beer ist nicht der einzige«, sagte Vater, weil er spürte, daß Mutter sich nicht gut fühlte. Es gab 17 000 Blinde in Holland – wenn auch ungefähr zwei Drittel das Augenlicht als ältere Menschen verloren hatten. Und das war nur ein kleiner Teil der Blinden auf der ganzen Welt. Fünfunddreißig Millionen Blinde gab es auf der Erde.

»Liebes, wir werden so bald wie möglich in die Nähe der Blindenanstalt ziehen. Und dann kommt Beer wieder zu uns ins Haus.«

»Und deine Arbeit? Wie soll das gehen?«

»Das Wichtigste kommt zuerst. Vielleicht bekomme ich im nächsten Jahr vom Geschäft ein Auto. Dann kann ich von hier bequem hin und her fahren. Und wenn nicht, dann find' ich ja wohl auch noch eine Bahn in dieser Gegend.«

»Das ist sehr lieb von dir«, sagte Mutter dankbar und war plötzlich gerührt. Sie spürte nun sehr stark, daß ihre Ehe nicht an einem seidenen Faden hing, sondern an einem starken Seil.

Der Bus hielt. Sie stiegen ein. Als der Bus abfuhr, saßen sie schweigend nebeneinander. Beide waren mit der gleichen Frage beschäftigt: Wie sollten, wie konnten sie Beer das alles beibringen? Vater und Mutter wußten noch nicht, daß sich dieses Problem inzwischen schon gelöst hatte.

10

»Kann der Koffer zugemacht werden?« fragte Vater.

»Ich glaube, ja«, antwortete Mutter, während sie noch einen letzten Blick durchs Zimmer schweifen ließ.

Der Koffer lag gepackt auf dem Bett. Beer klappte den Deckel zu, und Vater brachte den Koffer nach unten.

»Ich mach' mir noch schnell mein Haar«, sagte Mutter. Als sie aus dem Zimmer ging, ließ sie ihre Hand über Beers Wange gleiten.

Die letzten Minuten zu Hause. In wenigen Augenblicken würde Onkel Willem kommen, um sie mit dem Auto abzuholen. Beer stand neben seinem Schreibtisch am Fenster. Er dachte an die zurückliegenden Wochen, und es kam ihm vor, als hätte er eine Reise zu einem anderen Kontinent unternommen. Oder als wäre er in einem vollkommen anderen Leben angekommen. Der Kontinent eines Blinden war vielleicht nur klein. Doch die Reise war lang und anstrengend gewesen. Eine Reise durch die Dunkelheit. Eine Fahrt durch die Tiefen des Lebens. Aber dennoch auch eine Entdeckungsreise, weil er in den vergangenen Wochen so viel über sich, die Menschen und das Leben gelernt hatte.

Als Vater und Mutter von der Blindenanstalt zurückgekehrt waren, hatte Beer sie an der Tür abgefangen. Nach den quälenden Augenblicken im Park hatte er sich schließlich fest vorgenommen, das Unvermeidliche in Ruhe auf sich zu nehmen. Da er kein Drama daraus machte, ersparte er sich und seinen Eltern viel Kummer.

Merkwürdigerweise war der bevorstehende Umzug

nach Bussum am schlimmsten – jedenfalls äußerlich – für Tjeerd.

Er hatte es erst gar nicht glauben wollen und dann bestürzt protestiert:

»Nein, Beer ... nein, das ist nicht dein Ernst!«

»Wir sehen uns an den Wochenenden.«

»Aber ... aber das gibt es doch gar nicht. Wir sind mit der Arbeit gerade so gut vorwärtsgekommen. Und was sollen wir jetzt mit dem Zustellbezirk machen?« Hatte Tjeerd Angst, in seine frühere Isolation zurückzufallen?

An diesem Morgen beim Frühstück, als Annemiek sich vor ihrem Schulweg von Beer verabschieden sollte, verlor sie die Fassung.

»Tschüß, Beer, ich hoffe ...« Und plötzlich brach sie in Tränen aus.

»Na, na, ist ja halb so schlimm«, hatte Beer sie getröstet.

»Sieh mal«, hatte Vater sich eingeschaltet, »Beer kommt jedes Wochenende nach Hause, genau wie die Jungen, die Militärdienst tun.«

Dienst tun, hatte Beer gedacht. Wie gut drückte dieses Wort aus, was er jetzt vor sich hatte. Es paßte auch zu den Plänen, die er für sein weiteres Leben hegte. Dienst für behinderte Kinder. Und vor allem: den gequälten Kindern als Psychologe auf dem Weg in ein menschenwürdiges Dasein helfen. *Das* war sein Ziel. Und wer ein klares Ziel im Leben hatte, der konnte nicht unglücklich sein.

Draußen hupte es. Onkel Willem war da. Beer zog seinen Pullover zurecht. Es war ein verschossenes, braun-violettes Ding, aber er war daran gewöhnt. Trotz Mutters Bitten hatte er seinen schönen Anzug im

Schrank hängen lassen. Er wollte in der Blindenanstalt so erscheinen, wie er wirklich war.

Erst später war ihm bewußt geworden, daß es ja egal war: Keines der Kinder dort würde seine Kleider sehen können.

»Willem ist da!« rief Vater von unten.

»Ich komme«, antwortete Mutter aus dem Schlafzimmer.

Beer spürte plötzlich im Bauch ein heftiges Ziehen. Dann ging er. Er hatte das Gefühl, daß er wieder einen Abschnitt in seinem Leben abgeschlossen hatte. Als er das Krankenhaus verlassen hatte, war seine Jugend zu Ende gewesen. Und jetzt? Jetzt stand er schon wieder vor einem neuen Anfang.

»So, dann werde ich dich jetzt mal auf dein Zimmer bringen und dich den anderen aus dem Haus vorstellen, soweit sie da sind.« Der Direktor war aufgestanden. Das konnte Beer daran erkennen, daß der Stuhl fortgerückt worden war.

»Sollen wir uns dann hier verabschieden?« fragte Beer, und für einen Moment schien es, als habe er einen Frosch im Hals. Je eher Vater und Mutter gingen, desto besser. Solch einen Abschied durfte man nicht in die Länge ziehen. Das hatte überhaupt keinen Sinn.

»Tschüß, Beerlimann«, sagte Vater. Ein Kosename von ganz früher und seit Jahr und Tag nicht mehr gebraucht. Nun bekräftigte er die enge Verbundenheit zwischen ihnen, genau wie der freundschaftliche Schlag auf die Schulter und der Kuß auf die Wange.

»Tschüß, mein Liebling. Bis Sonnabend.« Die letzten Worte sollten zeigen, daß es ein Abschied für nur kurze Zeit war. Doch auch Mutter hatte einen Frosch im Hals. Sie mußte jetzt schnell gehen, dachte sie. Denn ob sie so ruhig und gelassen bleiben könnte, das wußte sie nicht.

Der Direktor hielt die Tür auf.

»Sie brauchen uns nicht hinauszubegleiten. Wir kennen den Weg«, sagte Vater.

»Und vielen Dank für alle Ihre Hilfe und Fürsorge!« Mutters Stimme klang glücklicherweise schon wieder etwas fester. In Gedanken sah Beer seine Eltern über den Spielplatz gehen, und Vaters Arm lag nun fest und sicher um Mutters Schulter.

Der Direktor war wieder ins Zimmer gekommen und kramte in den Papieren auf seinem Schreibtisch. Ein netter Kerl, dachte Beer. Vor allem wegen seiner ruhigen, sachlichen Art, in der er das Gespräch geführt und den Abschied arrangiert hatte. Kein Drama. Das traurigste Kind der Welt war er noch lange nicht.

»Wollen wir dann mal?«

»Wo ist mein Koffer?«

»Den hab' ich hier. So, dann mal los. Halt dich einfach an meiner Schulter fest.«

Sie gingen einen Korridor entlang und verließen das Haus. Beer hörte in der Ferne hohe, aufgeregte Kinderstimmen. Hatte der Kindergarten Schluß?

Der Direktor blieb stehen. »Entschuldige, ich hab' was vergessen. Warte einen Moment hier, ja? Ich bin sofort zurück.«

Da stand Beer nun allein auf dem Spielplatz der Blindenanstalt. Er lauschte den jauchzenden Kinderstimmen. Sie klangen genauso wie im Park: »Mein Vater hat ein Segelboot gekauft!« hörte er.

»Und mein Vater hat einen Wohnwagen. Das ist viel besser. Damit kann man überall hin!«

»Mit einem Segelboot auch!«

»Ja, aber das kann kentern!«

»Mit einem Wohnwagen kannst du dich totfahren!«

Es war, als stünden da Gijs und Jan, der König. Beer lächelte in sich hinein und dachte, daß zwischen sehenden und blinden Kindern wohl kein allzu großer Unterschied besteht. Wahrscheinlich genausoviel Freude und genausoviel Kummer. Genausoviel Prahlerei, genausoviel Phantasie und genausoviel Angst.

»Hallo, bist du neu hier?« Eine helle Mädchenstimme vor ihm. Er hatte sie nicht kommen hören.

»Ja, ich bin gerade angekommen. Ich heiße Beer Ligthart.«

»Ich heiße Tinka.« Das klang, als schlüge die Uhr des Studenten. »Neben mir steht Molly, eine aus dem Kindergarten. Ich bin in der Realschule.«

»Hast du geweint?« fragte Molly.

»Nein«, sagte Beer.

»Ich ja. Ich hab' entsetzlich geweint.«

Beer wußte nicht recht, was er darauf antworten sollte. Ein Krümel von fünf Jahren. War er nicht bevorzugt, weil er erst jetzt hierherkam?

»Woher wußtest du, daß ich hier steh'?« fragte er neugierig. »Kannst du denn sehen?«

»Noch ein ganz klein wenig«, antwortete Tinka, und Beer war von ihrer Stimme ganz entzückt. »Ich war zuerst auf einer Schule für Kinder, die schlecht sehen, aber meine Augen wurden immer schlimmer. Deswegen bin ich schon ein halbes Jahr hier.«

»Gefällt's dir hier?«

»O ja. Ich mußte mich natürlich erst dran gewöhnen. Hier ist es anders als zu Hause. Aber weißt du, man lernt hier viel, was man später gebrauchen kann.«

Beer bedauerte – er hätte gerne ein bißchen länger mit Tinka gesprochen –, daß der Direktor wiederkam und ihn abholte.

»Entschuldige, das hat etwas gedauert. Es kam auch noch ein unerwarteter Anruf aus Den Haag.« Er nahm den Koffer, und Beer hielt sich an seiner Schulter fest.

»Tschüß, Beer«, sagte Tinka. »Wir treffen uns bestimmt noch öfter.«

»Bestimmt«, sagte Beer. Er hoffte es.

Der Direktor führte ihn über den Spielplatz. Sie kamen zu einem Haus neben dem Hauptgebäude, wo er ein eigenes Zimmerchen bekommen sollte.

Das Schlimmste habe ich hinter mir, dachte Beer. Er sah einen Weg in die Zukunft vor sich. Die ersten Schritte auf diesem Weg waren schon getan, als er die Diele seines zweiten Zuhauses betrat.

Tinka ist ein hübscher Name, dachte er.

Moderne Autoren – moderne Jugendromane

Mabel Esther Allan	In jenem Frühjahr in Liverpool Das Geheimnis des Kraymer-Hauses Sommer der Ent-Täuschung
Franziska Berger	Tage wie schwarze Perlen
Hester Burton	Der Rebell
John Christopher	Die Wächter Die Lotushöhlen Leere Welt
Vera und Bill Cleaver	Ein Baum in Chicago Ich wäre lieber eine Rübe
Herbert Günther	Onkel Philipp schweigt Unter Freunden
Jaap ter Haar	Behalt das Leben lieb
Wolfgang Körner	Der Weg nach Drüben Und jetzt die Freiheit? Im Westen zu Hause
Ludek Pesek	Die Erde ist nah
Helmut Petri	Der Tiger von Xieng-Mai
Jan Procházka	Es lebe die Republik Jitka Lenka Milena spielt nicht mit
Solfried Rück	Weglaufen gilt nicht
Dietrich Seiffert	Einer war Kisselbach
Annika Skoglund	Glaube, Hoffnung u. Liebe der Marie L. Ich will das Kind behalten
Franz Ludwig Vytrisal	Licht in dunkler Nacht
Rainer Wochele	Absprung

 Postfach 248 · 4350 Recklinghausen

dtv pocket.
Die Reihe für junge Menschen, die mitdenken wollen.
Bei dtv junior.

Hans Peter Richter:
Damals war es Friedrich
7800

Anne Holm:
Ich bin David
7801

Max Lundgren:
Ole nennt mich Lise
7802

Irmela Brender:
Man nennt sie auch Berry
7803

lesen   nachdenken   mitreden